BUSINESS SITUATIONS GERMAN

To my parents

Andrew Castley
Napier College, Edinburgh

Business Situations

German

LONGMAN

In the same series: in preparation
Business Situations: French
Business Situations: Spanish

Related titles
Export Marketing: French
Export Marketing: German
Export Marketing: Spanish
Business Case Studies: French
(In preparation)
Business Case Studies: German
Business Case Studies: Spanish

Recordings
A set of 2 cassettes accompanies this book

LONGMAN GROUP LIMITED
London
Associated companies, branches and representatives
throughout the world

© Longman Group Limited 1980

First published 1980
ISBN 0 582 35161 8

Set in 10/12 VIP Times
by Western Printing Services Ltd, Bristol

Printed in Great Britain
by Spottiswoode Ballantyne Ltd, Colchester

Inhalt

	page
Acknowledgements	vi
Introduction	1
Lektion 1: Erster Besuch	7
Lektion 2: Erster Besuch (*Fortsetzung*)	12
Lektion 3: Besuch ohne Verabredung	16
Lektion 4: Besuch ohne Verabredung (*Fortsetzung*)	19
Lektion 5: Festlegung des Preises	23
Lektion 6: Werksbesichtigung	29
Lektion 7: Besuch bei dem Lieferanten (KIK)	34
Lektion 8: Agenten: Probleme	39
Lektion 9: Auf der Messe	45
Lektion 10: Kredit in der DDR	50
Lektion 11: Gegengeschäft	54
Lektion 12: Ein Vortrag auf der Messe	60
Lektion 13: Reklamation	64
Lektion 14: Preiserhöhung	69
Lektion 15: Preissenkung	75
Lektion 16: Auftragsannulierung	79
Lektion 17: Fertigung im Hause	84
Lektion 18: Fertigung im Hause (*Fortsetzung*)	88
Fragen zur Entwicklung	93

Acknowledgements

This book is based on sales visits made to West and East Germany for GKN Floform Ltd, Welshpool, to whose exporting commitment and initiative the book is therefore partly attributable. I hope the situations which follow reflect in some measure the affection with which I remember that company.

For his encouragement in the initial stages of the material's development, my sincere thanks go to Mr P. J. Allison, now of Salford College of Technology. I am also particularly indebted to Olaf Beecken for his suggestions and enthusiastic co-operation in recording, role-playing and proof-reading. Collette Biggs and Rosemary Davidson of Longman have made valuable suggestions, particularly on the difficult task of constructing the drills, for which I am most grateful.

Not least are my thanks due to the students from ICI, Runcorn, and at Napier College, Edinburgh, for whom the material was written, and who offered opinions and encouragement at various stages of its development.

ANDREW CASTLEY

Introduction

Origins and development

Early in 1975, Halton College, Widnes, was asked by ICI to put on an intensive course in German for certain of its personnel who already possessed a working knowledge of the language. It was suggested that the course might include the practising of phrases, expressions and usages which constantly recur in German conversation and business discussions, for example. 'das läßt sich machen', 'etwas gewohnt sein', 'in Anspruch nehmen', etc.

With this in mind, I took the reports of my own previous sales visits to the Federal and Democratic Republics between 1969 and 1973 as a basis and wrote six units for the course, which was held in May 1975. Participants in the course responded well and I was encouraged to write three more units for a subsequent course.

At Napier, College, Edinburgh, a further eight units were completed for post-graduate students studying for the Post-Graduate Diploma in European Marketing with Languages, and for HND Business Studies/Languages students. Whilst their German ranged from good to excellent, they were considerably less aware of business practice than previous students from ICI. They, too, responded well to the material.

The present book has arisen from this material and is designed for students interested in improving their spoken German in a business negotiating context. The material at the same time provides an insight into some aspects of German business practice and prejudice when dealing with a British company. Students should have achieved a proficiency of at least Institute of Linguists Grade I standard, but the material is also suitable for advanced speakers who wish to familiarise themselves with the language in business registers. All the units are in the form of dialogues between a British sales representative of the KIK Chemical Company and a German buyer or agent. The factual content is drawn entirely from my own experience in European marketing, and as a result the situations are mainly set in an industrial context.

The material rehearses the student in commercial terms he is most likely to require as part of his active oral repertoire when doing business in the Federal and Democratic Republics. It is in this emphasis on the oral mode that the material differs from 'Handelskorrespondenz' courses, most of whose vocabulary is naturally more appropriate to written communication. At the same time the strong element of negotiation sets the book apart from traditional orally-accentuated German courses for business. Moreover, it was felt important to rehearse students in those phrases and usages which introduce, conclude and reinforce bare statements of fact. In this way students are given practice in presenting their case with assurance, and in negotiating more smoothly and fluently than a basic command of the language would allow.

The material has been arranged for use in intensive courses or in weekly or occasional classes, for entirely in-college use or with private preparation. In this connection, see notes on 'Method'.

Motivation

Careful thought was given to ways in which to develop and maintain the students' interest and motivation, since certain shortcomings had been established in other material in this area. It might be helpful if tutors are aware of the following:

Content   Both businessmen and full-time students with a serious interest in business relationships should appreciate the characters depicted in the dialogues and their individual approaches to the finer and less fine aspects of reaching (or not reaching!) an agreement.

Active skills   Throughout, the student is encouraged to respond actively, in however halting a fashion. This is the most effective way of developing oral skill.

Difficulty   At the same time, the tutor will see that a conscious attempt has been made to vary the difficulty of tasks set at each phase, thereby assuring variety and a sense of achievement.

It is hoped in these ways to ensure that all students will have a sense of tangible progress made, and that they are not constantly faced with grindingly difficult tasks which would soon temper their resilience and lead to a decline in levels of performance.

Method

Teachers of course differ widely in their approach to any body of teaching material. What is offered below is an indication of the treatments used hitherto. This should act as a general guide. Experience has been almost entirely of using the material with a group, and not with students learning or preparing at home; the material does however offer good scope for this treatment, which will be dealt with later.

The guiding principle in the construction of the material has been that the student should participate actively rather than passively as much as possible in the exploitation of each dialogue. Passive listening and learning have been avoided where possible.

The development of each unit can broadly be divided into three phases:

1 Preparation (*Introduction*, *Einleitung*, *Development*, *Entwicklung des Dialogs*, *Fragen zur Entwicklung*, *Vokabeln*).

2 Thorough exploitation of the dialogue (*Schlüsselwörter*, *Dialog*, *Fragen zum Dialog*, *Übungen*): this involves listening, repetition, question and answer, role-playing using the cassette and drills.

3 Expansion: this involves practice of the face-to-face interview.

Recorded material

The recorded material is integral to the second, i.e. exploitation, phase. For each unit the following material is recorded:
a. The dialogue – complete
b. Questions to the dialogue *(Fragen zum Dialog)* with answers, recorded 2-phase. (The answers are not printed in the book.)
c. The dialogue – in a German-character only version. (This is not exploded – the pause button should be used.)
d. Oral drills (*Übungen*) with answers, recorded 3-phase. (The answers are not printed in the book.)
The cassette symbol is used to indicate recorded material.

A. Study in class or group

1 *Preparation*
a. The *Einleitung* is read aloud in the group.
b. From the dialogue outline (*Entwicklung des Dialogs*), students attempt to deduce the development of the negotiation, orally expanding the notes given. Questions (*Fragen zur Entwicklung*) designed to draw out the students' ideas at this stage are given at the back of the book.
c. There is discussion in the language of new vocabulary items given; the English equivalents would, of course, be shielded.

So the students embark on the second phase with a clear understanding of new vocabulary, and some idea of the development of the negotiation in hand.

2 *Exploitation*
This phase can be studied with a free-standing cassette recorder or in the laboratory. Certain activities in this phase will be preferred to others, depending on the group and the tutor's own approach. All however are

listed, and the tutors are invited to omit those activities found less effective in their particular situation.

a. The dialogue (*Dialog*) is heard once or twice without any written text.

b. The tutor may wish to explode the dialogue for a repetition exercise.

c. A question-and-answer drill (*Fragen zum Dialog*) gives practice on important aspects of usage or new vocabulary items.

d. The dialogue may be heard once or twice with the aid of the key-word version (*Schlüsselwörter*).

e. Using the German-character only version on the cassette, the student plays the part of Mr Roberts with or without the support of the key-word version. The student may repeat this several times to improve his performance. At worst, he can eventually read Mr Roberts part from the full printed version.

f. 3-phase situational drills (*Übungen*) are practised. The majority of these exercises are oral, but where it is appropriate, a written exercise has been introduced to familiarise the student with the usage. A separate note, below, explains the aims and objectives of the drills.

3 *Expansion*

The scene is re-enacted individually with as many of the group as is felt appropriate, the tutor playing the German participant. It is useful to do this exercise using video equipment if available, so the student may monitor and later correct his presentation. It should at least be done in front of the rest of the group, in order to simulate the tension inherent in any such actual situation. The tutor might wish to introduce points from previous dialogues, or vary the negotiation to suit the student's own business.

At the end of each unit the student should be able to present his case fluently and with conviction.

B. Study at home

1 *Preparation*

The presentation of the material should enable the students to prepare each unit privately in advance for exploitation in class. This is particularly appropriate for the weekly or occasional class.

2 *Exploitation*

The student should be able to use his own tape or cassette equipment here, if necessary. The written exercises increase the scope for individual work.

Note: Since each unit should be followed up with a face-to-face interview, this phase obviously cannot be done privately.

In view of this flexible arrangement, the material could successfully be used in 'Telelang' or similar 'subscriber' situations, demanding a small amount of tutor time individually, for a relatively large amount of oral work covered.

C **Drills** (*Übungen*)

There are a number of points to be made on the drills since their objectives and therefore their form differ from traditional pattern drills.
Their purpose is two-fold:

1 The drilled phrases have been chosen as ones which reinforce in various ways the delivery of arguments and points of view in the registers of marketing in the oral mode. Some express strong agreement or disagreement; others represent polite rejection, whilst still others are associated with the logical development of an argument, and so on. They should all contribute significantly to the force and fluency of the speaker's case.

2 Within this framework, vocabulary items introduced in each unit are rehearsed and reinforced.

In view of these aims it has been felt appropriate to depart from the traditional pattern drill to what we may refer to as a situational drill. Tutors familiar with the aims of the pattern drill should not confuse them with the aims of the present drills. Here, we are not teaching a point of grammar and manipulating stimuli accordingly, but rehearsing a phrase or linguistic usage in a number of short contexts, so that the full force and implication of that phrase is brought out clearly.

This can, of course lead to difficulties: how does one construct a drill for '*das mag wohl sein, aber . . .*'' '*im Gegenteil*', or '*man muß in Betracht ziehen, daß . . .*' without some repetition? This has been reduced as far as possible by using a written exercise in which the student makes up his own contexts. In some cases it has been felt that the phrase is so useful that some repetition simply has to be tolerated in order to practise the phrase. The adult learner, with whom we are dealing here, will appreciate this.

Lektion 1

Erster Besuch

Introduction

In this and the subsequent unit Roberts confronts standard patterns of sales resistance.

'*Preis zu hoch*' is inevitable and is here countered by emphasizing the high quality of KIK's product, which, by causing less in-production scrap, can ultimately be the more economic choice.

'*Verwaltungstechnische Probleme*' (administrative problems) is a type of sales resistance often implicit in the attitude of the buyer, rather than one explicitly stated. Such problems will inevitably be encountered when the product is imported. The attitude should nevertheless be identified: here, it is countered by a proposal that KIK take care of all importing procedure by quoting a 'free delivered' price. Also, Roberts makes the point that such problems have been alleviated since Britain has been a member of the European Community.

The recrimination that there is a bad strike record in British industry is frequently made in Germany. Whilst it is a justifiable criticism, two points can be made in defence: the press of both countries tends to give much space to British strikes; the press of neither country gives much space to German strikes. Roberts also makes the point that his own company has never suffered from strikes as far as the prompt execution of orders is concerned.

Einleitung

Herr J. Roberts, Vertreter der Firma KIK Chemicals, Großbritannien, ist mit Herrn K. Lüdecke, Einkaufsleiter bei der Fa. Hast (Kassel) GmbH, verabredet. Sie treffen sich hier zum ersten Mal. Herr Lüdecke interessiert sich für das Produkt *Luxud*, worüber er in der Fachpresse einen ausführlichen Artikel gelesen hat. *Luxud* ist nämlich ein widerstandsfähiger Anstrichstoff.

Dieses Zusammentreffen ist per FS arrangiert worden. Die Herren treffen sich beim Portier; daraufhin begeben sie sich gemeinsam ins Besucherzimmer.

Development

Entwicklung des Dialogs

Lüdecke	Roberts
	Sie stellen sich vor.
1	
2	Produkt wird erörtert.
3 Preis zu hoch.	
	i. Aber: Qualität.
	ii. % Ausfall niedriger.
4 Verwaltungstechnische Probleme.	
	i. Preis 'frei Haus verzollt'.
	ii. EG macht alles leichter.
5 Streiks.	
	i. KIK – gute innerbetriebliche Beziehungen.
	ii. Von der Presse hochgespielt.

Vokabeln

die Ausfallmenge	*scrap*
ausführlich	*detailed (e.g. report)*
der Ausgangsstoff	*raw material*
sich in ein Zimmer begeben	*to proceed to a room*
jemand mit einer S. beliefern	*to supply s.o. with sth.*
der Fluglotse	*air traffic controller*
frei Haus verzollt	*franco domicile*
die Fachpresse	*trade press*
die Gewerkschaft	*trade union*
die innerbetrieblichen Beziehungen	*labour relations*
per FS	*by telex*
per Luftfracht	*by air*
preismäßig	*price-wise*
der Prokurist	*executive*
die Qualitätskontrolle	*quality control*
der Spediteur	*freight agent*
vorgehen	*to go in front of, ahead, precede*
vorkommen	*to occur*
die Werbekampagne	*advertising campaign*
widerstandsfähig	*resistant (of product), durable*
zuverlässig	*reliable*

Redewendungen

das mag wohl sein, aber . . .	*that may well be, but . . .*
das liegt uns nahe	*(here) we consider that important*
das sehe ich ein	*I appreciate that*
ich habe Bedenken	*I have misgivings*

man muß in Kauf nehmen, daß . . . *you have to run the risk of* . . .
was (Hafenstreiks) anbetrifft . . . *as far as (dock strikes) are
concerned* . . .

Dialog: Schlüsselwörter

LÜDECKE   Name . . . Lüdecke.

ROBERTS   (*Name*) Angenehm.

LÜDECKE   Ins Besucherzimmer?

ROBERTS   –

LÜDECKE   Direkt aus England?

ROBERTS   Ja. Heute – Frankfurt. – mietete ein Auto – hierher – . Reise – jedoch – .

LÜDECKE   – mir vorstellen – zuverlässigen Lieferanten – etwas Besonderes?

ROBERTS   – hoffe – Kennen? – .

LÜDECKE   Preismäßig – offen sagen.

ROBERTS   Das mag – . Dabei – Qualitätsvergleich – Betracht – . – die besten Ausgangsstoffe. – Qualitätskontrolle – streng. – liegt uns – nahe. – spiegelt sich – Ausfallmengen – .

LÜDECKE   Das sehe ich ein – Regelung der Mehrwertsteuer – umständlich – verdeckte Kosten.

ROBERTS   – kein Problem. – bieten Preis 'frei Haus verzollt' – . Dabei übernimmt – Spediteur – Verantwortung – Verzollung und – .

LÜDECKE   – interessant – Streiks – unverständlich – .

ROBERTS   Bei uns – innerbetriebliche – . Keine Aufträge – aufgehalten – .

LÜDECKE   Das braucht – Fluglotsen. *Hafenarbeiter*

ROBERTS   Streiks – englischen Presse – hochgespielt. – Presse in – berichtet – deutsche Streiks.

⟨B⟩ Dialog

LÜDECKE   Ah, Herr Roberts? Mein Name ist Lüdecke. Ich bin Prokurist bei der Fa. Hast.

ROBERTS   Roberts. Sehr angenehm.

LÜDECKE   Ja, also, wollen wir ins Besucherzimmer gehen? Ich gehe vor. Sie erlauben?

ROBERTS   Bitte sehr.

LÜDECKE   Sind Sie direkt aus England gekommen?

ROBERTS   Ja, ich bin heute morgen in Frankfurt angekommen. Da habe ich ein Auto gemietet und bin direkt hierher gefahren. Die Reise war interessant, jedoch etwas anstrengend.

LÜDECKE   Das kann ich mir vorstellen. Ich bestelle einen Kaffee . . . Nun, es geht um Ihr Produkt *Luxud*. Sie machen zur Zeit eine Werbekampagne, sehe ich. Ehrlich gesagt, Herr Roberts, haben wir schon einen sehr zuverlässigen Lieferanten für dieses Material. Haben Sie uns etwas Besseres anzubieten? Beliefern Sie schon jemand in Deutschland mit diesem Produkt?

ROBERTS   Jawohl. Ich nehme an, daß Sie das Produkt schon kennen.

LÜDECKE   Ja, das schon. Preismäßig liegen Sie höher als Ihre Konkurrenz. Das
           muß ich offen sagen.

ROBERTS   Das mag wohl sein, Herr Lüdecke. Dabei muß man aber einen Qual-
           itätsvergleich in Betracht ziehen. In der Herstellung von *Luxud* ver-
           wenden wir nur die besten Ausgangsstoffe. Unsere Qualitätskontrolle
           ist auch sehr streng. Das liegt uns besonders nahe. Das spiegelt sich
           dann in Ihren Ausfallmengen wider.

LÜDECKE   Das sehe ich ein, Herr Roberts, aber offen gesagt finde ich es schwer,
           einen Preisvergleich überhaupt zu machen. Die Regelung der Mehr-
           wertssteuer ist ja sehr umständlich und es gibt bei Ihnen wohl viele
           verdeckte Kosten.

ROBERTS   Das ist kein Problem. Wir bieten Ihnen gerne einen Preis 'frei Haus
           verzollt' an. Dabei übernimmt unser Spediteur alle Verantwortung für
           Verzollung und alle Dokumentation.

LÜDECKE   Das ist schon interessant, aber ich habe noch Bedenken. Wissen Sie,
           hier in Deutschland lesen wir so oft über Ihre berühmten Streiks in Old
           England. Eigentlich finde ich so etwas unverständlich heutzutage.

ROBERTS   Bei uns in KIK haben wir sehr gute innerbetriebliche Beziehungen.
           Keine Aufträge sind wegen Streiks aufgehalten worden.

LÜDECKE   Das braucht kein Streik bei Ihnen zu sein – wenn die Hafenarbeiter
           streiken . . . Ach diese Gewerkschaften bei Ihnen . . .

ROBERTS   Streiks werden von der englischen Presse hochgespielt. Die Presse in
           England und Deutschland berichtet nicht so oft über deutsche Streiks.
           Was Hafenstreiks anbetrifft, versenden wir die Waren einfach per Luft-
           fracht.

Fragen zum Dialog

in der Fachpresse

1. Wo hat Herr Lüdecke von der Firma KIK gelesen?
2. Macht KIK zur Zeit eine Werbekampagne? *ja*
3. Ist der deutsche Lieferant zuverlässig? *ja*
4. Was sollte man in Betracht ziehen, wenn man einen Preisvergleich
   macht? *einen Qualitätsvergleich*
5. Nennen Sie einen anderen Ausdruck für Rohmaterial. *Ausgangstoff*
6. Wie heißt die Menge von Endprodukten, die unbrauchbar
   sind? *die Ausfallmenge*
7. Wofür übernimmt der Spediteur Verantwortung, wenn er Waren auf
   der Basis 'frei Haus verzollt' befördert? *für Verzollung +*
8. Sind schon Aufträge wegen Streiks bei KIK aufgehalten worden?
   Nein, es sind keine u.s.w.   *Versteuerung*
                                          der Waren

Übungen

1 *Ich sehe völlig ein, daß . . . / Ich sehe nicht ein, daß . . .*
   Beispiel 1   Aber wir können nicht alle Kosten tragen.
   Antwort 1   Ich sehe völlig ein, daß Sie nicht alle Kosten tragen
                  können.
   Beispiel 2   Sie müssen alle Kosten tragen.
   Antwort 2   Aber ich sehe nicht ein, daß wir alle Kosten tragen.

Bitte antworten Sie je nach dem Sinn mit *Ich sehe völlig ein, daß* . . .
bzw. *Ich sehe nicht ein, daß* . . .

1. Aber wir können nicht alle Kosten tragen.
2. Sie müssen alle Kosten tragen.
3. Wir müssen auf einwandfreier Qualität bestehen.
4. Also, Sie müssen einfach das Produkt mit einem Verlust verkaufen.
5. Liefertermine müssen eingehalten werden.
6. Sie müssen die ganze Lieferung sofort zurücknehmen.

2 *Sich vorstellen, daß* . . .
Beispiel Ihr Preisangebot ist zu hoch, glaube ich.
Antwort Aber ich kann mir kaum vorstellen, daß unser Preisangebot
zu hoch ist.
1. Ihr Preisangebot ist zu hoch, glaube ich.
2. Ihre Qualität ist anscheinend mangelhaft.
3. Eine Lieferung ist zu spät herausgegangen, glaube ich.
4. Ihre Qualitätskontrolle muß es übersehen haben.
5. Wir haben festgestellt, daß Ihre Preise für deutsche Verhältnisse zu
hoch sind.

3 *Es kommt manchmal vor, daß* . . . (Schriftlich)
Beispiel Verschiffung – aufgehalten
Antwort Es kommt manchmal vor, daß eine Verschiffung aufgehalten
wird.
Schreiben Sie mit Hilfe der Stichwörter fünf ähnliche Sätze!
1. Konkurrenz – besseren Preis.
2. Flug – verpassen.
3. Hafenarbeiter – streiken.
4. Sendung – mangelhaft.
5. Sendung – verspätet.

4 *In Kauf nehmen* (Schriftlich)
Beispiel Inflationsrate – steigen.
Antwort Wir müssen in Kauf nehmen, daß die Inflationsrate steigen
wird.
Schreiben Sie mit Hilfe der Stichwörter fünf ähnliche Sätze!
1. beim Zulieferanten – gestreikt.
2. Sendung – unterwegs – aufhalten.
3. Hohe Lohnkosten haben.
4. Kunde – rechtzeitig zahlen.
5. Inflationsrate – steigen.

Lektion 2

Erster Besuch (*Fortsetzung*)

Introduction

It is most important that the salesman should impress on the potential customer that his company will react swiftly to that customer's further requirements in connection with the order, once it is placed. Otherwise the buyer will feel that KIK (in this case) is too remote, and that he himself will not be able to exercise sufficient control over his company's interests once having placed the order.

To some extent, this idea of remoteness is psychological, since Herr Lüdecke would have to contact even his German suppliers by telephone anyway. All Roberts' points are designed to reinforce the idea of his firm's flexibility, and ability to react to a possible change of plan.

Einleitung

Die Verhandlung geht weiter. Herr Roberts befaßt sich hier mit einem der wichtigsten Aspekte des Handels mit der Bundesrepublik: nämlich, Flexibilität. Der Einkäufer muß davon überzeugt werden, daß KIK wirklich nicht so weit entfernt ist, daß die telefonischen und FS- Verbindungen gut sind, und daß KIK auf seine Wünsche schnell reagieren kann und wird. Kurz, daß sich KIK wirklich um die Interessen seiner eigenen Firma kümmern wird.

Development

Entwicklung des Dialogs

Lüdecke	*Roberts*
1 Flexibilität der Konkurrenz	*Fernschreiben*
2	i. Fernsprecher und FS.
	ii. Agent.
	iii. Regelmäßige Besuche.
	iv. Einstellung der Firma gegenüber Export.
3	Musterteile zurücklassen.

Vokabeln

der Abnehmer	*customer*
die Angelegenheit	*matter, affair*
die äußersten Preise	*the lowest prices*
die Dienstleistung	*service*
eingebildet	*self-opinionated*
die Einstellung (dat.) gegenüber	*opinion on (subject)*
folgendes	*the following*
konkurrenzfähig	*competitive*
mustergetreu	*as per sample*
qualitätsmäßig	*quality-wise*
der Probeauftrag	*trial order*
der Sitz	*head office, registered office*

Redewendungen

sich einstellen auf	*to get geared up to, be oriented to*
sich einer S. voll und ganz bewußt sein	*to be fully aware of sth.*
auf dem Laufenden halten	*to keep s.o. informed about . . .*
Wert legen auf	*to set store by, consider important*

Dialog: Schlüsselwörter

LÜDECKE   Zulieferant flexibel – Engländer Inselvolk – eingebildet.
ROBERTS   – inzwischen verändert – doch flexibel – anrufen – Telefon – Nummer unseres Agenten – auch meine – durchwählen.
LÜDECKE   Deutsch?
ROBERTS   Unsere Leute – können dringende Angelegenheiten – telefonisch.
LÜDECKE   Interessant – verstehen – sehe ich.
ROBERTS   Einstellung – folgendes – um konkurrenzfähig – preis – und qualitätsmäßig – Umständen – so flexibel sein wie – . Deshalb regelmäßig –

LÜDECKE	– selten – muß ich schon sagen.
ROBERTS	Seitdem – EG – Firma Wert darauf, – daß – in kaufmännischen Abteilungen – auf Export.
LÜDECKE	– voll und ganz bewußt.
ROBERTS	– auf die Probe–?–äußersten Preise–in Ordnung–100%-ig mustergetreu–.

🎧 Dialog

LÜDECKE	Ich verstehe das, was Sie sagen. Aber unser Lieferant hat seinen Sitz 50 Kilometer von hier. Ich brauche ihn nur anzurufen und innerhalb von einer Stunde ist er bei uns im Werk. Er ist sehr flexibel. Die Engländer sind ein Inselvolk, verstehen Sie, und sehr eingebildet, meiner Erfahrung nach. Sie sind wohl nicht so flexibel.
ROBERTS	Das hat sich inzwischen geändert. Flexibel sind wir doch; Sie brauchen nur anzurufen. Hier ist die Telefonnummer von unserem Agenten in Frankfurt, und da haben Sie auch meine. Sie können direkt durchwählen.
LÜDECKE	Telefonieren kann ich schon: wer kann aber Deutsch bei Ihnen?
ROBERTS	Unsere Leute können Deutsch, und wir können alle dringenden Angelegenheiten telefonisch bzw. per FS regeln. Das wird kein Problem sein.
LÜDECKE	Das finde ich sehr interessant. Sie verstehen unseren Markt in Deutschland, das sehe ich.
ROBERTS	Unsere Einstellung dem deutschen Absatzmarkt gegenüber ist folgende: um konkurrenzfähig zu sein, müssen wir preis- und qualitätsmäßig günstig liegen, aber auch unter allen Umständen so flexibel sein wie die Konkurrenz. Deshalb fahre ich auch regelmäßig hierher nach Deutschland.
LÜDECKE	So etwas hört man selten von englischen Firmen, das muß ich schon sagen.
ROBERTS	Vielleicht, aber seitdem wir in der EG sind, legt unsere Firma Wert darauf, daß wir uns in allen kaufmännischen Abteilungen auf Export einstellen. Das heißt für den Abnehmer, kurz, eine bessere Dienstleistung.
LÜDECKE	Ich bin mir dessen voll und ganz bewußt.
ROBERTS	Dürfte ich vorschlagen, daß Sie uns auf die Probe stellen? Wir bieten die äußersten Preise an: Wenn Sie einen Probeauftrag in Ordnung befinden, könnten wir weitere Aufträge 100%-ig mustergetreu liefern.

🎧 Fragen zum Dialog

1. Welche Eigenschaften soll das englische Volk angeblich besitzen?
2. Kann man von der Fa. Hast an KIK direkt durchwählen oder muß man über die Vermittlung gehen?
3. Was kann man telefonisch bzw. per Fernschreiber regeln?
4. Muß KIK nur preismäßig günstig liegen, um in Deutschland konkurrenzfähig zu sein?

5. Was heißt es für den ausländischen Abnehmer, wenn KIK sich auf Export einstellt?

6. Bietet KIK niedrige Preise an?

7. Werden die Produkte der Serienfertigung genau so sein, wie die des Probeauftrags?

⬛ Übungen

1 *Wert legen auf*
Beispiel   Halten Sie hohe Qualität für wichtig?
Antwort   Ja. Wir legen viel Wert auf hohe Qualität.
1. Wie stehen Sie zum Problem der Flexibilität?   *no artikel*
2. Halten Sie gute Geschäftsbeziehungen zum Kunden für wichtig?
3. Richten Sie sich immer nach den genauen Wünschen des Kunden?
4. Halten Sie hohe Qualität für wichtig?
5. Machen Sie regelmäßige Besuche hier in Deutschland?

2 *Sich einstellen auf*
Beispiel   Bei Ihnen spielt Export wohl eine wichtige Rolle?
Antwort   Ja, wir sind auf Export eingestellt.
1. Bei Ihnen spielt Export wohl eine wichtige Rolle?
2. Sie sind wohl hohe Abnahmemengen gewohnt?
3. Fob-Preise sind bei Ihnen wohl üblich?   *F.O.B*
4. Wird bei Ihnen das neue System schon verwendet?
5. Wenden Sie jetzt das neue Verfahren an?

3 *Sich einer Sache voll und ganz bewußt sein*
Beispiel   Es ist Ihnen doch klar, daß Sie rechtzeitig liefern müssen?
Antwort   Ich bin mir voll und ganz bewußt, daß wir rechtzeitig liefern müssen.
1. Es ist Ihnen doch klar, daß Ihr Preis günstig sein muß?   *unser*
2. Sie verstehen doch, daß unser jetztiger Lieferant sehr zuverlässig ist.   *ihr*
3. Aber ich habe Bedenken: englische Firmen haben einen schlechten Ruf bei uns.   *ihnen*   *wir*
4. Sie wissen doch, daß Sie fließend Deutsch sprechen müssen?
5. Es ist Ihnen doch klar, daß Sie rechtzeitig liefern müssen?   *wir*

1. Es soll eingebildet sein.
2. Man kann direkt durchwählen
3. alle dringenden Angelegenheiten telef- usw
4. Nein, sie muss auch qualitätsmässig günstig sein
5 Es heisst für ihn, eine bessere Dienstleistung
6. Ja, sie bietet die äussersten Preise an.
7. Ja, die Serienfertigung wird 100% mustergetreu sein

Lektion 3

Besuch ohne Verabredung

Introduction

The *Einleitung* is self-explanatory. Obviously, the 'cold' situation is not an ideal one to be in, but it often occurs, since there are always unforseen free periods which the salesman should utilise.

Einleitung

Herr Roberts ist auf der Durchreise in Düsseldorf. Er will die Firma Behr AG besuchen, hat aber keine Verabredung und weiß nicht einmal den Namen des Einkäufers. Zuerst gelingt es ihm, sich telefonisch mit dem Einkäufer zu verabreden . . .

Development

(The following notes refer to the numbered exchanges in the dialogue outline.)

1 It is important to establish the buyer's name before speaking to him, to try, under difficult circumstances, to make some kind of rapport. He may even have the impression that the salesman has made contact previously.

4 Faced with a rebuff, it may be useful to emphasize the fact that the salesman is over from the UK and will be returning there soon; this opportunity should therefore be used . . .

Entwicklung des Dialogs

Renner (Einkäufer)	*Roberts*
1 *(Telefonistin)*	Möchte mit dem Herrn sprechen, der für Kunststoffe zuständig ist. Name?
2 Renner.	
Nein.	Von uns gehört?
3	Uns persönlich vorführen.
Keine Verabredung.	
4	Fliege morgen zurück. Wäre schön wenn . . .
Um drei.	
	In Ordnung.

Vokabeln

bleiben Sie am Apparat	*(telephone) just a moment*
jemand mit einer Sache bekanntmachen	*to acquaint s.o. with sth.*
der Bereich	*area, field of work, division*
auf der Durchreise	*passing through*
eine Gelegenheit benutzen	*to take an opportunity*
das sagt mir gar nichts	*that means nothing to me*
zuständig	*competent, responsible, in charge*

Dialog: Schlüsselwörter

ELEFONISTIN	– Behr –
ROBERTS	– Firma – Kunststoff – möchte – Einkauf sprechen – wer – zuständig?
ELEFONISTIN	– verbinde.
ROBERTS	Bitte – wie heißt – ?
ELEFONISTIN	Renner – Bereich – zuständig.
ROBERTS	– Dank.
ELEFONISTIN	Apparat.
ROBERTS	– mein Name – von – KIK – produzieren – vielleicht – von uns gehört.
RENNER	Name – gar nichts.
ROBERTS	Dürfte – Produkten – bekanntmachen? in der Nähe – könnte – heute noch.
RENNER	Schlecht – Verabredung.
ROBERTS	Stimmt. Aber – Durchreise. Da – Düsseldorf bin, sinnvoll – Gelegenheit nutzen könnte – fliege – England –
RENNER	– um drei – frei –
ROBERTS	– Dank – Punkt drei –
RENNER	–
ROBERTS	– Bis –

◖ Dialog

TELEFONISTIN	Fa. Behr, Guten Tag.
ROBERTS	Guten Tag. Meine Firma stellt Kunststoff her. Ich möchte mit Ihrem Einkäufer darüber sprechen. Bitte, wer ist dafür zuständig?
TELEFONISTIN	Augenblick, ich verbinde.
ROBERTS	Bitte, wie heißt der Herr?
TELEFONISTIN	Herr Renner ist für diesen Bereich zuständig.
ROBERTS	Vielen Dank.
TELEFONISTIN	Bleiben Sie am Apparat!
RENNER	Renner.
ROBERTS	Guten Tag. Herr Renner. Mein Name ist Roberts von der Firma KIK. Wir produzieren Kunststoffe. Vielleicht haben Sie von uns gehört.
RENNER	Der Name sagt mir gar nichts.
ROBERTS	Dürfte ich Sie also persönlich mit unseren Produkten bekanntmachen? Ich bin nämlich in der Nähe von Düsseldorf und könnte Sie heute noch besuchen.
RENNER	Das geht schlecht. Sie haben nämlich keine Verabredung.
ROBERTS	Stimmt. Aber ich bin auf der Durchreise. Da ich gerade jetzt in Düsseldorf bin, wäre es sinnvoll, wenn ich die Gelegenheit nutzen könnte, um vorbeizukommen. Ich fliege nämlich morgen nach England zurück.
RENNER	Also, um drei bin ich wahrscheinlich frei.
ROBERTS	Vielen Dank. Ich komme Punkt drei vorbei.
RENNER	Jawohl. Auf Wiederhören.
ROBERTS	Auf Wiederhören, Herr Renner. Bis heute nachmittag.

◖ Fragen zum Dialog

1. Was stellt die Fa. KIK her? *Kunststoff*
2. Wer ist bei der Fa. Hast für Kunststoff zuständig? *Herr Renner*
3. Sagt ihm der Name KIK etwas?
4. Möchte Herr Roberts Herrn Renner mit seiner Firma persönlich bekanntmachen?
5. Befindet sich Herr Roberts zur Zeit in Düsseldorf?
6. Wann ist Herr Renner frei?
7. Wann will Herr Roberts vorbeikommen?

3. Der Name KIK sagt ihm nichts.
4. Ja, Herr R möchte ihn persönlich mit KIK bekanntmachen.
5. Nun, er befindet sich zur Zeit in der Nähe von Düsseldorf.
6. Herr Renner ist um drei Uhr frei.
7. Er will um drei vorbeikommen.

Lektion 4

Besuch ohne Verabredung

(*Fortsetzung*)

Introduction

We are present at the meeting arranged that morning on the telephone.

The unit brings out two main features of business discussion technique: the use of the passive voice, and the resort to the third party. Both are designed to shift the responsibility for an unfortunate situation from the shoulders of the speaker himself, and are used widely:

1 'The samples hadn't been prepared' rather than 'I hadn't prepared the samples'.

2 'Our accountants don't like to give discount for prompt payment' rather than 'We don't like . . .'

In this particular interview, the techniques are used too often to create a good impression, which is explained in the *Einleitung*. However, the student should be aware of them, even if it is only to recognise them in the speech of others.

Einleitung

Herr Roberts bringt verschiedene Argumente in der Vorführung seines Produktes und der Verkaufsbedingungen. Es darf hier erwähnt werden, daß alle die hier aufgeführten Reaktionen seinerseits bestimmt keinen außerordentlich guten Eindruck auf Herrn Renner machen. In der Praxis sollten diese vorsichtig verwendet werden.

Development

Entwicklung des Dialogs

Renner	*Roberts*
1 Warum nicht auf der Messe besucht?	
	Zeit gefehlt.
2 Muster dabei?	
	Broschüre: Details, Fertigungsprogramm.

3 Skonto für prompte Bezahlung?

Von mir aus, ja; Buchaltung aber-
nicht gern.

4 Sonderausführung nach
Spezifikation?

Technische Leute ungern.

5 Noch nicht überzeugt.

Einladung zum Vertrieb in D., wo
Produkt vorgeführt.

Wenn Probeauftrag läuft.

Vokabeln

das Fertigungsprogramm	*product range*
gängig	*current*
ab Lager	*ex stock*
der Probeauftrag	*trial order*
Skonto	*cash discount*
die Sonderanfertigung	*product made to customer specification*
sich spezialisieren auf	*to specialise in*
das Verkaufssortiment	*range of products*
verweisen an	*to refer s.o. to s.o.*
solange der Vorrat reicht	*while stocks last*
die Apparaturen	*apparatus (here: for demonstrations)*
zutreffende Details	*relevant details*

 # 6

Dialog: Schlüsselwörter

RENNER – stellen – her – Warum – Hannover Messe – besucht?
ROBERTS – Stand – übersehen – Erst später – verwiesen.
RENNER – spezialisieren sich – Muster?
ROBERTS – Broschüren – zutreffenden Details, Fertigungsprogramm, Verkaufs-
sortiment usw. – gängige Produkte – aufgeführt.
RENNER – Zahlungsbedingungen? – Skonto für prompte Bezahlung?
ROBERTS Von mir aus – Buchhaltung nicht – darüber schon – Streit.
RENNER – Produkt als Sonderanfertigung?
ROBERTS Zur Zeit – nicht – haben – Preisvorteil – ab Lager – technische Abteilung
– weicht – ab, solange –
RENNER – noch nicht überzeugt –
ROBERTS Dürfte – Büro – einladen? – Apparaturen aufgebaut, die Vorteile –
zeigen.
RENNER – freundlich – sprechen – Probeauftrag läuft.

⑱ Dialog

RENNER   Also, Sie stellen Kunststoff seit langem her. Warum haben Sie uns dann nicht auf der Hannovermesse besucht?

ROBERTS   Ihr Stand wurde leider nicht gesehen. Erst später wurden wir an Sie verwiesen.

RENNER   Sie spezialisieren sich auf Kunststoffe, nicht wahr? Haben Sie Muster dabei?

ROBERTS   In unseren Broschüren finden Sie alle zutreffenden Details, unser Fertigungsprogramm, Verkaufssortiment usw. Alle gängigen Produkte sind darin aufgeführt.

RENNER   Danke schön. Das ist interessant. Wie sind Ihre Zahlungsbedingungen? Geben Sie Skonto für prompte Bezahlung?

ROBERTS   Von mir aus gerne. Unsere Buchhaltung macht das aber nicht. Darüber habe ich mit ihnen schon Streit gehabt.

RENNER   Hmm. Und könnten Sie ein Produkt als Sonderanfertigung herstellen?

ROBERTS   Zur Zeit leider nicht. Sie haben natürlich einen Preisvorteil mit Waren ab Lager, und unsere technische Abteilung weicht von ausgeprüften Verfahren nur ungern ab, solange wir noch das laufende Produkt auf Lager haben.

RENNER   Ich bin noch nicht überzeugt von der Qualität Ihres Produktes.

ROBERTS   Dürfte ich Sie also zu unserem Büro in Köln einladen? Da haben wir Apparaturen aufgebaut, die die Vorteile unseres Produktes klar zeigen.

RENNER   Sehr freundlich. Sprechen wir noch darüber, wenn ein Probeauftrag läuft . . .

⑱ Fragen zum Dialog

1. Warum hat Herr Roberts die Fa. Hast auf der Messe nicht aufgesucht? *Der Stand der Fa Hast wurde von H R übersehen*
2. Worauf spezialisiert sich die Fa. KIK? *auf Kunststoff*
3. Was für Informationen sind in der Broschüre zu finden?
4. Gibt die Fa. KIK Skonto für prompte Bezahlung? *Nein, sie gibt keins*
5. Liefert KIK Sonderanfertigungen? *Sie liefert Waren nur ab Lager*
6. Wie lange liefert sie Waren ab Lager?
7. Warum wird Herr Renner zur Vertriebsstelle in Köln eingeladen?
8. Will Herr Renner diese Einladung sofort annehmen?

3. Das Fertigungsprogramm das Verkaufsortiment und alle

⑱ Übungen   *gängige Produkte von KIK sind in der B. zu finden*

1 *Zuständig sein*
   Beispiel   (*am Telefon*) Wie bitte, Einkauf?
   Antwort   Ja, wer ist für den Einkauf zuständig?
   1. Ich habe Sie nicht richtig gehört: Kunststoffe?
   2. Die Verbindung ist schlecht: Versand?
   3. Ich habe Sie nicht verstanden: Werbung?
   4. Bitte schön, Qualitätskontrolle, sagten Sie?

7. Es gibt da Apparaturen, die die Vorteile von KIK Produkten klar zeigen.
8. Erst wenn ein Probeauftrag läuft.

2 *Bekanntmachen*
   Beispiel   Herr Schröder.
   Antwort   Darf ich Sie mit Herrn Schröder bekanntmachen?
   1. Herr Schröder.
   2. Frau Doktor Erhard.
   3. Fräulein Geiermann.
   4. Herr Direktor Heller.
   5. Herr Ingenieur Dressler.

3 *Eine Gelegenheit benutzen, um ... zu ...*
   Beispiel   (*am Telefon*) Wie? Sie wollten uns besuchen?
   Antwort   Ja, ich wollte diese Gelegenheit benutzen, um Sie zu
             besuchen.
   1. Wie? Sie wollten uns besuchen?
   2. Wie? Sie wollten vorbeikommen?
   3. Ach, Sie wollten mich mit Ihrer Firma bekanntmachen?
   4. Wie? Sie wollten uns aufsuchen?
   5. Sie wollten uns Ihren Generaldirektor vorstellen?

Lektion 5
Festlegung des Preises

Introduction

Roberts's objective is to establish whether and to what extent his quoted price compares favourably or unfavourably with the competition's quotation. To do this, he suggests, for example, that KIK's quotation is too high to the extent of the transport cost element. Depending on the reply, he will be able to judge how his company's price compares with that of the competition. Not all the approaches used here would be adopted at the same time, of course, but are best demonstrated in this way for our present purposes.

Einleitung

KIK Chemicals hat der Fa. Hast ein weiteres Angebot geschickt. Herr Roberts besucht jetzt den Einkäufer bei Hast – nämlich Herrn Lüdecke – um auf der Basis dieses Angebots einen Auftrag zu gewinnen. Er hat noch Spielraum, um den Preis einigermaßen herabzusetzen, wenn das nötig ist, um einen Vertrag abzuschließen. Indem er sich auf verschiedene Kostenelemente bezieht, Werkzeuge, Transport, sowie auf den Konkurrenzpreis und die Erwartungen von Herrn Lüdecke, versucht Herr Roberts festzustellen, ob sein Preisangebot richtig liegt. (Selbstverständlich würde man nicht alle die hier aufgeführten Techniken gleichzeitig benutzen!)

Development

1 The competition should never be criticised.
3 Roberts unashamedly asks the competition's price and is rebuffed. In some cases, however, the buyer is prepared to go into such detail.
6 It is almost as direct a way of ascertaining the same information to ask for the comparison on a percentage basis. Yet many buyers will be more ready to provide the information in this way than a direct price comparison.

7 It is important to make sure that the buyer understands the conditions attached to his quotation. Roberts must be sure that the buyer is comparing like with like. On occasion orders are missed because the buyer has the false impression that he must pay something in excess of the quoted price, be it duty, transport or handling costs. Hence the conditions of the quotation should be made absolutely clear.

Entwicklung des Dialogs

Lüdecke	*Roberts*
1 Mit dem Wettbewerber zufrieden.	
	Einverstanden. Guten Ruf.
2	Unser Preisangebot?
Preis zu hoch.	
3	Konkurrenz?
Steht nicht zur Debatte.	
4	Sind Werkzeugskosten ein kritischer Faktor im Preis?
Ohne Werkzeugskosten, sieht schon besser aus.	
5	Sind durch hohe Transportkosten benachteiligt, nicht wahr?
Ja.	
6	% herabsetzen?
10%.	
7	Sie wissen – Skonto, gelieferter Preis, ein Jahr gültig?
Klar. Preis für höhere Mengen anbieten?	
8	Nach Abstimmung mit Direktor.

Vokabeln

nach Abstimmung mit . . .	*after consultation with . . .*
anscheinend	*seemingly, it looks like*
die Aufstellungskosten	*set-up costs*
die Aussicht(en)	*the prospect(s)*
aussichtslos	*hopeless, inauspicious*
benachteiligt sein	*to be at a disadvantage*
die Bezugsquelle	*source of supply*
der Gesamtpreis	*total price*
gestatten	*to permit, allow*
Grund zu Klagen geben	*to give reason for complaint*
herabsetzen, heruntersetzen, senken	*to lower, reduce (price)*
der Konkurrent	*competitor*
der Prozentsatz	*percentage*
der Ruf	*reputation*

überprüfen	*to check*
einen Vertrag abschließen	*to conclude a contract, deal*
verzichten auf	*to waive*
die Werkzeugsanteilkosten	*part tooling costs*
der Wettbewerber	*competitor*

Redewendungen

das halte ich für . . .	*I think that is . . .*
das steht nicht zur Debatte	*I am not prepared to say*
sich (dat.) über eine Sache im Klaren sein	*to be fully aware of sth.*
eine Möglichkeit besteht vielleicht darin, daß . . .	*there may be a possibility of . . .*
in Angriff nehmen	*to set about, tackle (problem)*
jemand auf eine S. aufmerksam machen	*to draw s.o.'s attention to sth.*
sich Mühe geben	*to make an effort*
zu einer S. Stellung nehmen	*to express an opinion about sth.*

Dialog: Schlüsselwörter

LÜDECKE   Ehrlich – Preis an.

ROBERTS   Ich bin – mit dem deutschen Absatzmarkt vertraut – weiß – guten Ruf.

LÜDECKE   Da – recht.

ROBERTS   Insbesondere soll – Qualität – Klagen geben. Was – Preis anbetrifft – wie liegt?

LÜDECKE   Ja – enttäuscht.

ROBERTS   Wie hoch – Konkurrenz?

LÜDECKE   Wissen – Konkurrenzpreis – Bezugsquelle – Vorstellungen.

ROBERTS   Dürfte fragen. – Aufstellungskosten maßgebend – wenn – verzichten könnten – Geschäft?

LÜDECKE   Das – niedriger als der Konkurrent.

ROBERTS   – schwer benachteiligt – Das ist – Faktor.

LÜDECKE   – recht geben.

ROBERTS   Sie haben – 'Erwartungen' gesprochen. Um welchen Prozentsatz – senken, so daß – Vorstellungen entspricht?

LÜDECKE   In – herabsetzen.

ROBERTS   Dürfte ich – aufmerksam – Skonto für – daß Sie hier – gelieferter Preis – und daß der Preis ein Jahr – ?

LÜDECKE   – klar.

ROBERTS   Na ja. – wirklich Mühe – Schade, daß – Lage – aussichtslos.

LÜDECKE   Möglichkeit – so meine ich es.

ROBERTS   Das – erst nach Abstimmung – Geschäftsleitung.

LÜDECKE   Natürlich.

ROBERTS   Das Problem – in Angriff. – Kalkulation überprüfen – . Die Chancen sehen – rosig. – Wenn Sie gestatten, – schriftliche Nachricht –

LÜDECKE   Schön. Je nachdem, wie –

🔲 Dialog

LÜDECKE   Ehrlich gesagt, Herr Roberts, bin ich mit Ihrem deutschen Konkurrenten sehr zufrieden. Er ist sehr zuverlässig und bietet immer wieder
günstige Preise an.

ROBERTS   Ich bin mit dem deutschen Markt vertraut, Herr Lüdecke. Ich weiß
schon, daß unser deutscher Konkurrent einen guten Ruf hat.

LÜDECKE   Da haben Sie sicherlich recht.

ROBERTS   Und insbesondere soll seine Qualität keinen Grund zu Klagen geben.
Was aber den Preis anbetrifft: wie steht unser Preisangebot?

LÜDECKE   Ja, also, ich muß sagen, Ihr Preisangebot liegt hoch. Tatsächlich weit
über meinen Erwartungen. Ich bin etwas enttäuscht.

ROBERTS   Wie hoch liegt die Konkurrenz eigentlich, Herr Lüdecke?

LÜDECKE   Wissen Sie, der Konkurrenzpreis oder überhaupt unsere Bezugsquelle
stehen hier nicht zur Debatte. *Sie* müssen Ihre Möglichkeiten wissen.
Ich möchte nur sagen, daß Sie beträchtlich höher als meine Vorstellungen liegen.

ROBERTS   Dürfte ich also fragen, ob die Aufstellungskosten hier maßgebend sind?
Wenn wir darauf verzichten könnten, könnten wir eventuell ins Geschäft kommen?

LÜDECKE   Das sieht schon besser aus, aber Sie liegen auch da nicht viel niedriger
als Ihr Konkurrent.

ROBERTS   Ja, wir sind natürlich durch hohe Transportkosten schwer benachteiligt.
Das ist wohl der kritische Faktor?

LÜDECKE   Da würde ich Ihnen recht geben.

ROBERTS   Sie haben früher von Ihren 'Erwartungen' gesprochen, Herr Lüdecke.
Um welchen Prozentsatz müßten wir den Gesamtpreis senken, so daß er
Ihren Vorstellungen entspricht?

LÜDECKE   In diesem Fall müßten Sie Ihren Preis um ca. 10% herabsetzen.

ROBERTS   Hmm, so viel ist nicht drin ... Dürfte ich Sie darauf aufmerksam
machen, daß wir Skonto für prompte Bezahlung geben, daß Sie hier unseren gelieferten Preis sehen, und daß dieser Preis für ein Jahr gültig ist?

LÜDECKE   Darüber bin ich mir im Klaren.

ROBERTS   Na ja, wir haben uns hier wirklich Mühe gegeben. Es ist schade, daß die
Lage anscheinend so aussichtslos ist.

LÜDECKE   Eine Möglichkeit besteht vielleicht darin, daß Sie uns vorläufig den
Preis anbieten, der in Ihrem Angebot für höhere Liefermengen gültig
ist. Des guten Willens wegen, so meine ich es.

ROBERTS   Das kann ich erst nach Abstimmung mit der Betriebsleitung bestätigen,
verstehen Sie.

LÜDECKE   Natürlich.

ROBERTS   Das Problem werden wir sofort in Angriff nehmen. Ich werde unsere
Kalkulation überprüfen, aber ich glaube, die Chancen sehen nicht so
rosig aus, das muß ich sagen. Wenn Sie gestatten, lasse ich Ihnen eine
schriftliche Nachricht zukommen.

LÜDECKE   Schön, Herr Roberts. Je nachdem wie Ihre Firma dazu Stellung nimmt,
können wir uns die Sache bei Ihrem nächsten Besuch etwas näher
ansehen.

⊞ Fragen zum Dialog

1. Ist Herr Roberts mit dem deutschen Markt vertraut? *Ja – damit*
2. Hat der Konkurrent von KIK einen guten Ruf? *Ja, er*
3. Will Herr Lüdecke seine Bezugsquelle verraten? *Nein, er – sie*
4. Entspricht KIKs Preisangebot den Vorstellungen von Herrn Lüdecke? *Nein, er entspricht nicht seinen V.*
5. Sind hier die Aufstellungskosten ein kritischer Faktor? *N. sie nicht k.*
6. Wenn KIK auf die Aufstellungskosten verzichtete, könnten sie dann eventuell ins Geschäft kommen? *Ja, es sieht schon besser*
7. Was gibt KIK für prompte Bezahlung? *KIK gibt Skonto für B aus*
8. Wie lange ist der angebotene Preis gültig? *Er ist ein Jahr g.*
9. Sieht Herrn Roberts Lage gut aus?
10. Worin besteht vielleicht eine Möglichkeit?
11. Was will Herr Roberts noch überprüfen? *die Kalkulation*
12. Was muß geschehen ehe Herr Roberts diesen niedrigeren Preis bestätigen kann? *H. R. muss sich mit seiner Geschäfts-leitung abstimmen.*

9. N, die Lage erscheint ihm aussichtslos
10. daran, dass KIK vorläufig den P. anbietet,

Übungen

der für höhere Liefermengen gilt.

⊞ 1 Halten für

Beispiel   Glauben Sie, das ist eine gute Idee?
Antwort   Ja, das halte ich für eine gute Idee.
1. Glauben Sie, das ist eine gute Idee? *Die halte ich für*
2. Sind Sie wirklich der Meinung, daß das eine leistungsfähige Maschine ist? *für*
3. Sind Sie tatsächlich der Ansicht, daß das wahrscheinlich ist? *für*
4. Denken Sie, das ist wünschenswert? *für*
5. Sind Sie der Ansicht, daß das eine zuverlässige Firma ist? *Die halte ich für*

⊞ 2 Zur Debatte stehen

Beispiel   Können wir uns über den Konkurrenzpreis unterhalten?
Antwort   Der Konkurrenzpreis steht hier nicht zur Debatte.
1. Können wir uns über den Konkurrenzpreis unterhalten?
2. Wer ist eigentlich unser Wettbewerber? *Ihre*
3. Ehe wir ein Preisangebot machen, was ist *Ihre* Preisvorstellung? *Unsere*
4. Was ist Ihre jetzige Bezugsquelle für dieses Material? *Unsere*
5. Welches Verfahren verwenden Sie hier? *Unser*

⊞ 3 Sich über eine Sache im Klaren sein

Beispiel   Sie verstehen das wohl?
Antwort   Ich bin mir darüber im Klaren.
1. Sie verstehen das wohl?
2. Das ist Ihnen wohl klar?
3. Er sieht das wohl ein? *Er / sich*
4. Ich hoffe, Ihre Techniker verstehen die Sache. *Sie / sich*
5. Ihr Direktor sieht das doch wohl ein? *Er / sich*

4 *Jemand auf eine Sache aufmerksam machen* (Schriftlich)
  Beispiel   Rabatt von 3%.
  Antwort   Ich möchte Sie darauf aufmerksam machen, daß wir einen
           Rabatt von 3% geben.
  Bitte schreiben Sie mit Hilfe der Stichwörter fünf ähnliche Sätze!
  1. sofort liefern.
  2. den Prozentsatz ermäßigen.
  3. auf die Aufstellungskosten verzichen.
  4. die Einstellung der Finanzleute – ein kritischer Faktor.
  5. Rabatt von 3%.

5 *In Angriff nehmen* (Schriftlich)
  Beispiel   Angelegenheit – sofort.
  Antwort   Wir werden die Angelegenheit sofort in Angriff nehmen.
  Bitte schreiben Sie mit Hilfe der Stichwörter fünf ähnliche Sätze!
  1. Problem – bei meiner Rückkehr.
  2. Frage – bald.
  3. Schwierigkeiten – morgen.
  4. Sache – sofort.
  5. Angelegenheit – möglichst bald.

Lektion 6

Werksbesichtigung

Introduction

The two companies now being trading partners, Mr Roberts is invited to see Hast's production facility. Hast's factory as presented here exhibits features common to the vast majority of German manufacturing facilities, so the vocabulary introduced is of general application.

Perhaps a comment is in place here on the importance of the door-keeper as the first 'obstacle' to overcome when visiting a German factory. The business of registering with him ('sich beim Portier anmelden' and 'den Zettel ausfüllen') seems at first very bureaucratic, but should be taken in one's stride. This is mentioned here, since it was inappropriate to include this feature in this unit. It is hoped however that the plan of the factory would indicate this function of the 'Portier'.

Einleitung

Herr Roberts besucht die Fa. Hast, nachdem die erste Lieferung Anstrichstoff eingetroffen ist. Zu seiner Orientierung schlägt Herr Lüdecke vor, daß sie eine Werksbesichtigung machen.

Development

Beantworten Sie die *Fragen zur Entwicklung* mit Hilfe des folgenden Betriebsplans. (Nehmen Sie dabei die umkreisten Zahlen zur Hilfe!)

Betriebsplan

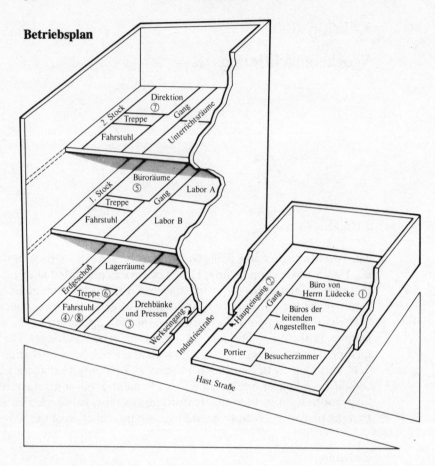

Fragen zur Entwicklung

[handwritten: m die Fertigungshalle]

[handwritten: Drehbänke, Pressen, Lagerräume]

[handwritten: Gang, Treppe, Büroräume]

[handwritten: Unterrichtsräume Ausbildswerks stätte]

1. Wo fängt die Führung an? *[handwritten: im Besucherzimmer/beim Portier]*
2. Wo gehen sie aus dem Werk hinaus? / hinein? *[handwritten: am Haupteingang hinaus, Werkseingang hinein]*
3. Was sehen sie im Erdgeschoß?
4. Wie kommen sie in den 1 Stock? *[handwritten: Mit dem Fahrstuhl]*
5. Was gibt es im 1 Stock, außer den Labors?
6. Wie können sie in den 2 Stock kommen? *[handwritten: Mit dem Fahrstuhl]*
7. Warum sitzt die Direktion im obersten Stock? *[handwritten: um alles zu übersehen überwachen]*
8. Wie fahren sie wieder hinunter? –
9. Müssen sie wieder durch den Haupteingang gehen, um das Büro von Herrn Lüdecke zu erreichen? *[handwritten: Ja]*

Vokabeln

die Anlage	*equipment, plant, machinery*
die Ausbildungswerkstatt	*training workshop*
die Auszubildenden	*apprentices, trainees*
besichtigen	*to visit, view*

die Direktion	*the directors*
die Drehbank	*lathe*
der Dreher	*turner*
der Fahrstuhl	*lift*
der Feinmechaniker	*precision mechanic*
die Forschung(sabteilung)	*research (department)*
der Geselle	*journeyman*
der Haupteingang	*main gate*
imposant	*impressive*
die Lagerräume	*store area*
die Presse	*press*
der Portier	*doorman*
der Schlosser	*fitter*
der Schweißer	*welder*
das Stahlband	*steel strip*
die Trennwand	*partition*
der Unterricht	*instruction, teaching*
der Werkzeugmacher	*toolmaker*
die Rieseninvestition	*huge investment*

Redewendungen

Was ist los?	*What's up? What's the matter?*
. . . was los ist	*(here) what we do*
auf jeden Fall	*absolutely, most certainly, by all means*
das könnte ich gut gebrauchen	*I really could do with that*

Übung

Schreiben Sie für jede Redewendung drei Sätze bzw. kurze Situationen.

Dialog: Schlüsselwörter

LÜDECKE So, HR – schlage vor – was bei uns alles los ist.
RENNER – sehr interessiert.
LÜDECKE – diskret.
RENNER Auf jeden Fall!
LÜDECKE – vorgehen? Besucherzimmer – Portier – Haupteingang – Fertigungs-halle.
RENNER – vielleicht imposant! Anlagen, Pressen, Drehbänke.
LÜDECKE – Rieseninvestitionen – . Deshalb größere Aufträge – Preisen!
RENNER Bei – doppelt soviel bestellen!
LÜDECKE So – Lagerräume. – Bestände an Kupfer, Stahlbändern –
RENNER Ja. – Wo – weiter?
LÜDECKE – Fahrstuhl – ersten Stock. – alle Labors der Forschungsabteilung –
RENNER Herrn Dr Knobloch kennengelernt. – Forschungsleiter, nicht wahr?
LÜDECKE – Büroräume – Trennwänden. – Einkauf und Verkauf – untergebracht.
RENNER – voneinander lernen.

LÜDECKE	Ganz bestimmt – bekannt.
RENNER	Tricks – keine.
LÜDECKE	– im zweiten Stock – Auszubildungswerkstätten – in unserem Werk – Metallarbeiter.
RENNER	Wird – später als – Gesellen – ?
LÜDECKE	– problematisch. – Sekretariat – dort.
RENNER	– Schreibmaschinen – drei Uhr – machen – zum Unterschreiben fertig –
LÜDECKE	Ja. Beeilen. – erledigen.
RENNER	Da sind wir – Büro. Interessant. – bedanke – Führung.
LÜDECKE	Nichts zu danken. – Kaffee?
RENNER	– gebrauchen.

🔢 Dialog

LÜDECKE	So, Herr Roberts, ich schlage vor, wir machen eine Werksbesichtigung, damit Sie sehen, was bei uns alles los ist.
ROBERTS	Ich bin sehr daran interessiert, Herr Lüdecke.
LÜDECKE	Das glaube ich, Herr Roberts, wir wollen aber diskret bleiben!
ROBERTS	Auf jeden Fall!
LÜDECKE	So – darf ich vorgehen? Dort ist das Besucherzimmer: wir gehen hier beim Portier am Haupteingang hinaus, und bei Eingang Nr. 2 in die Fertigungshalle.
ROBERTS	Das ist vielleicht imposant! So große Anlagen, und so viele Pressen und Drehbänke!
LÜDECKE	Hmm – wir haben in den letzten paar Jahren Rieseninvestitionen gemacht. Deshalb haben wir Ihnen größere Aufträge erteilen können – auch bei Ihren Preisen!
ROBERTS	Bei unseren Preisen könnten Sie doppelt soviel bestellen.
LÜDECKE	So – hier geht's durch die Lagerräume. Auf dieser Fläche sind alle unsere Bestände an Kupfer, Stahlbändern, sogar Silber hier, sehen Sie?
ROBERTS	Ja, ja. Und wo geht's weiter?
LÜDECKE	Wir nehmen hier den Fahrstuhl in den ersten Stock. Da können Sie alle Labors der Forschungsabteilung sehen.
ROBERTS	Ach, den Herrn Dr Knobloch habe ich schon kennengelernt. Der ist doch der Forschungsleiter, nicht wahr?
LÜDECKE	Jawohl. Da rechts sind die Büroräume – riesengroß mit Trennwänden, wie Sie sehen. Dort sind Einkauf und Verkauf zusammen untergebracht.
ROBERTS	Einkauf und Verkauf können wohl immer was voneinander lernen.
LÜDECKE	Ganz bestimmt, Herr Roberts. Alle Ihre Tricks sind bei uns schon lange im voraus bekannt.
ROBERTS	Tricks brauche ich keine, Herr Lüdecke.
LÜDECKE	Na ja. Im zweiten Stock sehen Sie die Unterrichtsräume und Ausbildungswerkstätten. Wir haben zur Zeit etwa 50 Auszubildene in unserem Werk – Elektroniker, Feinmechaniker, Schweißer, Schlosser, Dreher, Werkzeugmacher, Metallarbeiter.
ROBERTS	Wird die Firma sie später als ausgebildete Gesellen alle beschäftigen?
LÜDECKE	Das ist gerade jetzt problematisch. Aber die meisten werden bei uns

eine Stelle finden. . . . Hier hat die Direktion ihre Büros. Und drüben ist das Konferenzzimmer. Das Sekretariat ist dort.

ROBERTS   Ich höre schon die Schreibmaschinen. Es ist drei Uhr; sie machen wohl die Post zum Unterschreiben fertig, nicht wahr?

LÜDECKE   Ach, ja. Deswegen müssen wir uns beeilen. Das muß ich noch erledigen.

ROBERTS   Und da sind wir wieder in Ihrem Büro. Das war sehr interessant. Ich bedanke mich für die Führung.

LÜDECKE   Nichts zu danken. Sagen Sie, haben Sie noch Zeit für einen Kaffee?

ROBERTS   Aber selbstverständlich! Den könnte ich gebrauchen.

🄲 Fragen zum Dialog

1. Inwiefern will Herr Lüdecke ‚diskret bleiben'?
2. Was für Maschinenanlagen sind in der Fertigungshalle zu sehen?
3. Welche Materialien hat die Fa. Hast auf Lager? *Kupfer, Stahl und Silber*
4. Beschreiben Sie die Büroräume im 1. Stock!
5. Was ist Herr Knobloch von Beruf? *Forschungsleiter*
6. Wer arbeitet in den Ausbildungswerkstätten? *Die Auszubildenen*
7. Welche Berufe werden hier gelernt? *Man lernt*
8. Ist man sicher, daß alle Auszubildenden bei Hast eine Stelle finden werden? *Nein, das ist problematisch*
9. Was machen die Sekretärinnen gerade? *die Post zum Unterschrei-*
10. Warum müssen sie sich beeilen? *ben fertig*

1 Er will nichts über das Herstellungsverfahren verraten.
② Pressen und Drehbänke
4 Sie sind riesengross und haben Trennwände
10. HL muss die Post unterschreiben

Lektion 7

Besuch bei dem Lieferanten (KIK)

Introduction

Here the subject is a high-value order, where high set-up costs are required by KIK. Roberts therefore suggests a visit to his own factory, so his customers may gain an impression of what is involved in setting up the plant for manufacture, and also, to cement the business relationship.

Of course, a venture of this kind is only worthwhile if the value of potential orders is considerable, or if a company aircraft is available. In any event, it is an excellent way to gain goodwill. Note how Roberts overcomes the buyer's initial unwillingness to become in any way obligated to KIK by appealing to the technical expert. He suspects:–
a. He will value the first-hand experience of KIK's equipment.
b. He would be partial to a visit abroad.

Actually in very many cases resistance on the part of a buyer can be overcome by appealing to his technical adviser in this way, be it on grounds of price, quality or tolerance bands, etc. However, the manoeuvre must be discreet, in order not to antagonise the buyer.

Einleitung

Herr Roberts stößt auf Schwierigkeiten, indem er versucht, die Aufstellungskosten bei der Fa. Hast durchzusetzen. Seine Taktik ist es, die Herren von Hast zum KIK-Werk in Großbritannien einzuladen, wobei es aber einiges gibt, was berücksichtigt werden muß.
Personen: Roberts (KIK Chemicals)
            Lüdecke (Einkäufer, Fa. Hast)
            Broschk (Leiter der Forschungabteilung, Fa. Hast)

Development

Entwicklung des Dialogs

Lüdecke	*Roberts*
1 Können Aufstellungskosten nicht bezahlen.	
2	U. Werk besuchen: Anlage sehen?
Nein, verpflichtet.	
3	Technischer Kollege vielleicht dafür?
Ja.	
4	Alle Abteilungsleiter einladen? Termin – Wochenende? Flugscheine zugehen lassen.
5	Können selbst sehen, wie nötig Aufstellungskosten sind.

Vokabeln

die Abnahmemenge	*take-off quantity*
in Anbetracht (gen.)	*in view of, considering*
die Aufstellungskosten	*set-up costs*
beliefern	*to supply*
Bescheid geben	*to send word*
einen Dienst leisten	*to provide a service*
meines Erachtens	*in my opinion*
gesondert aufführen	*to show separately (on invoice)*
die Handelskammer	*Chamber of Commerce*
hängenbleiben	*to be held up (of consignment)*
in Ordnung	*in order, all right, OK*
mit gleicher Post	*under separate cover*
sich vergewissern	*to make sure (for oneself), ensure*
vorgesehen	*proposed, envisaged*
zusagen (dat.)	*to be convenient, appeal to*
der Geschäftsführer	*managing director*
der Gruppenführer	*divisional head, product manager*
der Bereichsleiter	*divisional head*
der Abteilungsleiter	*head of department*

Redewendungen

auf diese Weise	*in this way*
vom technischen Standpunkt aus gesehen	*from the technical point of view*
sich einig sein	*to agree (with each other)*

Dialog: Schlüsselwörter

LÜDECKE   Stückpreis – einig –

ROBERTS   Ja – wir – entgegengekommen. Bloß an – hängen – gesondert aufführ-
          ten.

LÜDECKE   – Anbetracht – Abnahmenmenge – nicht, warum – bestehen.

ROBERTS   Wenn – Anlage – sehen – verstehen, warum – müssen. Deshalb möchte
          – einladen.

LÜDECKE   – nicht in Frage. Erst wenn – möglich – Zweck.

ROBERTS   – verstehe – durchaus. Vielleicht – Kollege – bestätigen, ob technischen
          Standpunkt – nutzvoll – Herstellungsverfahren – Nicht wahr – ?

BROSCHK   – eigentlich recht geben. – Besuch – sinnvoll.

ROBERTS   –sollten – nicht – verpflichtet – fühlen –

LÜDECKE   Natürlich. Also – für einen Besuch –

ROBERTS   Fein. – Sie als Einkaufsleiter, – Leiter der – Herr Broschk – vielleicht
          sollten wir – Bereichsleiter – Gruppenführer – ?

LÜDECKE   – freundlich – Generaldirektor – im allgemeinen – lehnt ab.

ROBERTS   – Ordnung – Termin. Wenn – Freitag bzw. Montag uns im Werk –
          könnten – ein bißchen umsehen – Handelskammer –

LÜDECKE   – einverstanden.

BROSCHK   – Idee.

ROBERTS   Sagen – sechs Wochen. Sagt – zu?

LÜDECKE   Ja. – Zeitraum – nichts Festes –

ROBERTS   – schicke – offizielle Einladung, worin – Flugzeiten – angebe.

LÜDECKE   – keine Umstände –

ROBERTS   –keine Sorgen. –hoffen, –vollständigen Dienst. –Post–lasse–zukommen.

LÜDECKE   – danke recht – Einladung.

ROBERTS   Nichts– können sich – vergewissern – Geschäftspartner – Hoffentlich –
          keine Bedenken – Notwendigkeit – Aufstellungs – und Werkzeugko-
          sten –

⏹ Dialog

LÜDECKE   Über den Stückpreis sind wir uns also einig, Herr Roberts.

ROBERTS   Ja, wir sind uns entgegengekommen. Bloß an den Werkzeugkosten
          bleibt es hängen, die wir in unserem Angebot gesondert aufführten.

LÜDECKE   Hmm. In Anbetracht der vorgesehenen Abnahmemenge verstehe ich
          nicht, warum Sie auf diesen Kosten bestehen.

ROBERTS   Wenn Sie unsere Anlage und die Maschinen in Wirklichkeit sehen
          könnten, würden Sie verstehen, warum wir darauf bestehen müssen.
          Deshalb möchte ich Sie und Ihre Kollegen gerne zu uns einladen.

LÜDECKE   Danke schön. Aber das kommt gar nicht in Frage. Erst wenn Sie uns
          beliefern, ist das möglich. Sonst hat es keinen Zweck.

ROBERTS   Ich verstehe Ihren Standpunkt durchaus, Herr Lüdecke. Vielleicht
          kann Ihr Kollege, Herr Broschk bestätigen, ob es vom technischen
          Standpunkt aus gesehen sinnvoll wäre, unser Herstellungsverfahren zu
          sehen. Nicht wahr, Herr Broschk?

BROSCHK　Ich muß Herrn Roberts eigentlich recht geben, Herr Lüdecke. Meines Erachtens wäre ein solcher Besuch sehr sinnvoll.

ROBERTS　Sie sollten sich natürlich auch nicht irgendwie verpflichtet fühlen, Herr Lüdecke.

LÜDECKE　Natürlich nicht. Also, nach dem, was Sie sagen Herr Broschk, bin ich im Prinzip für einen Besuch in Großbritannien.

ROBERTS　Fein. Also, Sie als Einkaufsleiter, und Sie als Leiter der technischen Abteilung, Herr Broschk – und vielleicht sollten wir den Bereichsleiter und Ihren Gruppenführer einladen?

LÜDECKE　Es wäre freundlich, wenn unser Generaldirektor eingeladen würde, aber im allgemeinen lehnt er solche Einladungen ab.

ROBERTS　In Ordnung. Und nun zum Termin. Wenn Sie an einem Freitag bzw. an einem Montag uns im Werk besuchten, könnten Sie sich am Wochenende ein bißchen umsehen, die Handelskammer besuchen usw.

LÜDECKE　Ja, einverstanden – Herr Broschk?

BROSCHK　Ja, das wäre eine gute Idee.

ROBERTS　Sagen wir in ca. sechs Wochen. Sagt Ihnen das zu?

LÜDECKE　Ja. In diesem Zeitraum habe ich noch nichts Festes geplant.

ROBERTS　Gut. Ich schicke Ihnen also eine offizielle Einladung, worin ich gleichzeitig die Flugzeiten usw. angebe.

LÜDECKE　Wir wollen Ihnen aber keine Umstände machen!

ROBERTS　Machen Sie sich keine Sorgen. Wir hoffen, Ihnen einen vollständigen Dienst leisten zu können. Mit gleicher Post lasse ich Ihnen die Flugscheine zukommen.

LÜDECKE　Ich danke Ihnen recht herzlich für diese Einladung, Herr Roberts. Wir geben Ihnen Bescheid, daß alles in Ordnung geht.

ROBERTS　Nichts zu danken, Herr Lüdecke. Sie können sich auf diese Weise vergewissern, daß wir technisch und kaufmännisch ein guter Geschäftspartner sind. Hoffentlich werden Sie danach auch keine Bedenken über die Notwendigkeit der Aufstellungs- und Werkzeugkosten mehr haben.

C **Fragen zum Dialog**

1. Worüber sind sich die Herren einig? *über den Stückpreis*
2. Woran bleibt die ganze Sache noch hängen? *an den Werkzeugkosten*
3. Warum kommt die Einladung für Herrn Lüdecke nicht in Frage?
4. Von welchem Standpunkt aus gesehen wäre es nutzvoll, daß die Deutschen das Herstellungsverfahren sehen? *Vom technische S. ausgesehen*
5. Wem gibt Herr Broschk recht? *Herrn R. S. ausgesehen*
6. Was können die Herren machen, wenn sie am Wochenende nach Großbritannien fahren? *Sie können sich ein bischen umsehen.*
7. Will Herr Lüdecke Umstände machen? *keine Umstände*
8. Wie will Herr Roberts die Flugscheine und die Flugzeiten schicken?

3. Weil er sich verpflichtet fühlen würde
8 Er will sie mit gleicher Post schicken.

E **Übung**

Von einem Standpunkt aus gesehen
Beispiel   technisch – günstig.
Antwort   Vom technischen Standpunkt aus gesehen, wäre es günstig.
1. technisch – günstig.
2. kaufmännisch – schlecht.
3. Standpunkt des Preises – möglich.
4. Standpunkt der Qualität – kaum möglich.
5. wirtschaftlich – undenkbar.
6. Standpunkt der Firmenpolitik – nicht konsequent.

Lektion 8

Agenten: Probleme

Introduction

This situation is designed to portray the standard grievances of agents
when they are first appointed. This situation, where Roberts is fighting
to retain his influence if not ultimately his job, is of a kind which does
occur in fact, though more often, one agent is supplanted by another,
rather than an employee's position being threatened in this way.

Einleitung

Der Verkaufsleiter der Firma KIK Chemicals (d.h. Herr Roberts Chef)
hat einen Agenten für alle deutschsprachigen Länder Europas anges-
tellt, ohne die Angelegenheit vorerst mit Herrn Roberts selbst durch-
zusprechen. Herr Roberts kennt ihn also noch nicht und besucht ihn
hier zum ersten Mal. Er ist bestrebt, die Tätigkeit des Agenten aufs
Genaueste zu kontrollieren, und somit seine eigene Stelle als Vertreter
für Deutschland zu bewahren. Typische Einstellungen eines neuen
Agenten werden hier vorgeführt.

Development

4 KIK intends to invoice the German customers direct, sending a copy to
the agent for his files. An alternative much preferred by agents is that
orders be placed by the customer on the agent himself, who then issues
his own order on the supplier (KIK). Roberts suggests by implication
that in the past, agents have used this means to earn a higher rate of
'commission' by negotiating a high price with the customer and a relatively moderate one with KIK, who of course do not have sight of the
original order.

6 Deprived of this degree of autonomy, Wulf makes the oft-heard plea
that Roberts cannot possibly appreciate the subtleties of the market as
he himself can. He should therefore leave the visiting to him, Wulf, who
thereby strengthens his position. Roberts, however, is rightly insistent.
Wulf does in fact have a point. It is almost always outweighed however,

by the effect on a buyer of representation direct from the supplier's factory, particularly if the representative has a more or less fluent command of the language.

Entwicklung des Dialogs

Wulf	Roberts
1	Begrüßung.
2 Provision zu niedrig.	
	Gilt für alle Aufträge aus deutschsprachigen Ländern.
3 Monatlich, nicht vierteljährlich abrechnen.	
	Vierteljährlich üblich. Spesen sofort.
4 Wie werden Kunden berechnet?	
	Direkt/Kopie an Sie.
5 Ich – kein Auftraggeber; nicht normal.	
	Weniger Papierarbeit. Schlechte Erfahrungen gemacht mit Agenten als Auftraggeber.
6	Sooft wie möglich mitfahren.
Nicht nötig; ich kenne Gebräuche usw.	
	Doch. Unterstützung von uns wichtig.

Vokabeln

abrechnen	*to settle up, settle accounts*
die Alleinvertretung	*sole agency*
der Auftraggeber	*principal*
berechnen	*to invoice*
bevorzugen	*to prefer*
dafür	*(here) on the other hand, in compensation*
darüber hinaus	*moreover*
dauernd	*continually*
eben	*quite so*
eigentlich	*really, in fact*
erwähnen	*to mention*
fremdartig	*strange, alien*
Geschäfte schließen	*to conclude sales, deals*
der Handlungsbevollmächtigte	*executive with full powers*
die Klausel	*clause*
mag sein	*may be, perhaps*

die Provision	*commission*
rückvergüten	*to reimburse*
üblich	*usual*
der Umsatz	*turnover*
der Verkaufsleiter	*sales chief*
vermitteln	*to pass on (order), act as intermediary*
mit . . . vertraut sein	*to be familiar with . . .*
der Vertreter	*representative*

Redewendungen

in Betracht ziehen	*to take into account*
auf eine S. zurückzuführen sein	*to be due to*
um ganz ehrlich zu sein	*to be quite honest*
schlechte Erfahrungen machen	*to have unfortunate experiences*
etwas gewohnt sein	*to be accustomed to a thing*
überlassen	*to leave to s.o. (e.g. leave it to me)*
sich auskennen	*to know one's way around*
etwas nötig haben	*to require sth.*
wenn's sein muß	*if it has to be*

Dialog: Schlüsselwörter

ROBERTS Guten –. – freut – kennenzulernen.

WULF – mich auch –.

ROBERTS So. Jetzt – Alleinvertretung – Deutschland.

WULF Ja. – Verkaufsleiter – letzte Woche – Vertrag zukommen. – Kopie.

ROBERTS Danke. – schon eine. – Details zufrieden?

WULF Eigentlich – Provision – gering.

ROBERTS Dabei – Betracht ziehen – Rate – alle Aufträge – die – Gebiet – zukommen.

WULF Auch für die – vermittelt?

ROBERTS Eben – auch – die, die nicht – Bestrebungen zurückzuführen –. – stellt – hohen Umsatz –

WULF Ach ja – lese – Klausel –. Sie rechnen –. Ich – bevorzugen – monatlich.

ROBERTS – üblich – erwähnte Basis – verfahren. Darüber hinaus – bedenken – Spesen – rückvergütet –

WULF Auf welcher – abrechnen?

ROBERTS Direkt. – Kopie – an Sie.

WULF – kein Auftraggeber.

ROBERTS Dafür – Papierarbeit – schließen Geschäfte – . – mehr – Handluns- bevollmächtigter –

WULF Mag sein. – nicht normal –

ROBERTS Um – ehrlich – haben – schlechte Erfahrungen. – jetzt – Vorschrift – auf – Basis –

WULF – trotzdem – gewohnt.

ROBERTS Na ja – so oft – möglich – begleiten.

WULF – nicht nötig. – kenne – Markt – . Es gibt Sachen – fremdartig, mit denen – Deutscher – vertraut – . Am besten – besuche.

ROBERTS Ich kenne – deutschen Absatzmarkt – aus. Selbstverständlich – nicht dauernd – fahren.

WULF – bin ich da.

ROBERTS – halten – Unterstützung – nützlich. Sonst hätten – nötig.

WULF – wenn – muß. Trinken – Zusammenarbeit.

ROBERTS – Idee.

🔢 Dialog

ROBERTS Guten Tag, Herr Wulf. Es freut mich sehr, Sie persönlich kennenzulernen.

WULF Es freut mich auch Sie kennenzulernen, Herr Roberts.

ROBERTS So. Jetzt haben Sie die Alleinvertretung für uns in Deutschland.

WULF Ja. Ihr Verkaufsleiter hat mir letzte Woche den Vertrag zukommen lassen. Da ist eine Kopie.

ROBERTS Danke. Ich habe schon eine. Sind Sie mit allen Details zufrieden?

WULF Eigentlich finde ich eine Provision von $2\frac{1}{2}\%$ sehr gering.

ROBERTS Dabei müssen Sie aber in Betracht ziehen, daß die Rate für alle Aufträge gilt, die uns aus Ihrem Gebiet zukommen.

WULF Auch für die, die nicht von mir vermittelt werden?

ROBERTS Eben – auch für die, die nicht auf Ihre Bestrebungen zurückzuführen sind. Das stellt zusammen einen hohen Umsatz dar.

WULF Ach ja, da lese ich die Klausel gerade. Sie rechnen vierteljährlich ab. Ich würde es bevorzugen, wenn Sie monatlich abrechnen würden.

ROBERTS Es ist üblich, daß wir auf der erwähnten Basis mit unseren Agenten verfahren. Darüber hinaus müssen Sie bedenken, daß Ihre Spesen sofort rückvergütet werden.

WULF Und auf welcher Basis wollen Sie mit den Kunden abrechnen?

ROBERTS Direkt. Eine Kopie geht natürlich auch an Sie.

WULF Ich bin also kein Auftraggeber.

ROBERTS Dafür haben Sie weniger Papierarbeit, und Sie schließen selbst Geschäfte ab. Das ist schon mehr als ein Handlungsbevollmächtigter wie ich.

WULF Mag sein. Aber das ist nicht normal für eine Vertretung in Deutschland.

ROBERTS Um ganz ehrlich zu sein, haben wir hier in Deutschland schon schlechte Erfahrungen gemacht. Es ist daher bei uns jetzt Vorschrift, auf dieser Basis zu handeln.

WULF Ich bin es aber trotzdem nicht gewohnt.

ROBERTS Na ja, ich werde Sie so oft wie möglich zu unseren Kunden begleiten.

WULF Das ist gar nicht nötig. Ich kenne den Markt hier in Deutschland. Es gibt Sachen, die einem Engländer fremdartig sind, mit denen ich als Deutscher aber vertraut bin. Am besten überlassen Sie mir die Besuche.

ROBERTS Ich kenne mich im deutschen Absatzmarkt auch ziemlich gut aus. Selbstverständlich kann ich nicht dauernd hierher fahren ...

WULF Na sehen Sie. Dafür bin *ich* da.

ROBERTS Aber wir halten eine Unterstützung dieser Art für nützlich Sonst hätten wir keinen Vertreter nötig.

WULF Na ja, wenn es sein muß, Herr Roberts. Also trinken wir auf unsere künftige Zusammenarbeit.

ROBERTS Gute Idee.

Fragen zum Dialog

1. Was für eine Vertretung führt Herr Wulf für KIK? *eine Alleinvertretung*
2. Was hat her KIK–Verkaufsleiter Herrn Wulf vor einer Woche zugeschickt? *ihm den Vertrag*
3. Wie findet Herr Wulf eine Provision von 2½%? *zu gering*
4. Was sollte er aber in Betracht ziehen?
5. Stellt das einen hohen Umsatz dar? *Ja*
6. Auf welcher Basis werden Spesen rückvergütet? *Sie werden sofort rückvergütet*
7. Herr Wulf wird Auftraggeber sein, nicht wahr? *Nein*
8. Warum besteht KIK darauf, auf dieser Basis zu handeln?
9. Kennt sich Herr Roberts im deutschen Absatzmarkt gut aus? *ziemlich gut*
10. Will Herr Wulf die Kundschaft allein besuchen?

4. dass er für alle Aufträge gilt, die aus seinem Gebiet kommen

Übungen

8. weil sie schon schlechte Erfahrungen gemacht hat

10. Am besten überlässt H.R. ihm die Besuche, meint er.

1 *Um ganz ehrlich zu sein* . . .
   Beispiel Verstehen Sie das nicht?
   Antwort Nein, um ganz ehrlich zu sein, verstehe ich das nicht.
   1. Verstehen Sie das nicht?
   2. Sehen Sie das nicht so?
   3. Haben Sie keinen Erfolg gehabt? *wir*
   4. Haben Sie in Deutschland noch keine Stammkunden? *wir*

2 *Eine Sache gewohnt sein*
   Beispiel Schlechte Qualität kommt manchmal vor.
   Antwort Wir sind aber schlechte Qualität nicht gewohnt.
   1. Schlechte Qualität kommt manchmal vor.
   2. Solche Schwierigkeiten gibt es aber manchmal.
   3. Eine solche Provision ist bei uns normal.
   4. Solche Bedingungen sind bei uns normal.
   5. Unpünktlichkeit ist doch nichts Neues!

3 *In Betracht ziehen, daß* . . . (Schriftlich)
   Beispiel vierteljährlich – abrechnen.
   Antwort Sie müssen in Betracht ziehen, daß wir vierteljährlich abrechnen.
   Bitte schreiben Sie mit Hilfe der Stichwörter fünf ähnliche Sätze!
   1. direkt – berechnen.
   2. Provision – auf alle Aufträge – zahlbar.
   3. dauernd unterwegs.
   4. mit dem deutschen Absatzmarkt – vertraut.
   5. Handlungsweise – nicht üblich.

4 *Auf eine Sache zurückzuführen sein* (Schriftlich)
   Beispiel   Löhne unwahrscheinlich gestiegen.
   Antwort   Das ist darauf zurückzuführen, daß die Löhne unwahrschein-
               lich gestiegen sind.
   Bitte schreiben Sie mit Hilfe der Stichwörter fünf ähnliche Sätze!
   1. Konkurrent – günstigere Preise – anbieten.
   2. Spesen – nicht sofort – rückvergüten.
   3. Nicht monatlich – abrechnen.
   4. Provision – zu gering.
   5. Löhne – unwahrscheinlich gestiegen.

5 *Sich auskennen* (Schriftlich)
   Beispiel   im deutschen Absatzmarkt.
   Antwort   Ich kenne mich im deutschen Absatzmarkt aus.
   Bitte schreiben Sie mit Hilfe der Stichwörter fünf ähnliche Sätze!
   1. hier.
   2. diese Stadt.
   3. dieses Gebiet.
   4. der Bereich.
   5. bei uns.
   6. der europäische Markt.

Lektion 9

Auf der Messe

Introduction

This unit introduces some of the behind-the-scenes preparations necessary at a trade fair. Every exhibitor has experienced the problems of arranging signs, furniture and equipment at the last minute, though these problems are rarely covered in the usual literature on exhibiting. In addition, the advantages of some 'non-basic' stand furnishings are suggested for the person new to exhibitions.

The *Development* takes a slightly different form because of the subject dealt with, though the objectives and method remain the same as in other units.

Einleitung

Herr Wulf, der Agent von KIK für Deutschland, Österreich und die Schweiz, wurde beauftragt, alle Anordnungen über den KIK-Stand auf einer Messe in München zu treffen.

Herr Roberts trifft am Tag vor der Eröffnung der Messe ein und stellt fest, daß der Stand noch nicht fertig ist. Er glaubt, daß Herr Wulf vergessen hat, die Ausstattung bei der Messebehörde zu bestellen. Wie Sie sehen werden, braucht er sich darüber keine Sorgen zu machen.

Development

1 Wozu braucht man auf einem Messestand die folgenden Gegenstände:
   einen Schaukasten mit Beleuchtung.
   einen Kühlschrank.
   einen abschließbaren Schrank.
   einen Tisch mit Sesseln.
   einen Kleiderständer.
   einen Fernsprecher.
   Stromversorgung.
2 Warum sollte man die folgenden Gegenstände zur Messe mitnehmen?
   einen Schreibblock.

Broschüren.
Besucherkarten.

3 Was kann man machen, um sicher zu sein, daß die Kunden und Haupt-
interessenten Sie auf Ihrem Stand besuchen?

Vokabeln

die Ausstattung	*furnishings*
die Beleuchtung	*lighting, illumination*
einrichten	*to organise*
der Hocker	*stool*
der Imbiß	*snack*
der Kleiderständer	*coat stand*
kontaktieren	*to contact (colloquial)*
der Schaukasten	*display cabinet*
der Schreibblock	*writing pad*
der Telefonanschluß	*telephone extension*
trostlos	*(here) bare, sad*
die Unterlagen	*notes, files*

Redewendungen

Anordnungen treffen	*to make arrangements*
keine Umstände	*don't worry, calm down*
es bleibt noch abzuwarten	*it remains to be seen*
alle Voraussetzungen sind gegeben	*we have covered the basic essentials*

Dialog: Schlüsselwörter

ROBERTS Also – wo – Stand, den du – organisiert hast?

WULF Da. – herrlich?

ROBERTS – fehlt – Firmenschild – . Gut, daß – , bevor – eröffnet wird!

WULF – Umstände. – Ordnung. – Stand – trostlos – jeden Augenblick –

ROBERTS Ah – was – extra – bestellt?

WULF Alles – notwendig. – keine Extras.

ROBERTS Klar! – was bekommen – Stand?

WULF Erstens – Firmenschild – jungen Mann gefertigt. Dann Teppich – damit
gemütlich –

ROBERTS Prima. – anständigen Schaukasten – damit – auffallen.

WULF – kommt –

ROBERTS Gut – wie zu Hause – . Wie wäre es mit – Bar – Kühlschrank?

WULF Keine Angst – bestellt.

ROBERTS Herren von Hast, Schaumberg – besuchen – Aufträge besprechen. – vier
Sesseln – zwei Hocker um den –

WULF – abschließbaren Schrank – damit – nicht mitzunehmen –

ROBERTS Sicher. – Stromanschluß.

WULF Hör mal – Erfahrung. – erledigt. – hast – vergessen.

ROBERTS Was? noch? – Kleiderständer – wichtig.

WULF   Weiter?

ROBERTS   Telefonanschluß einrichten lassen, damit – kontaktieren –

WULF   – erlaube – fragen – Akten – Schreibblock, Broschüren – Besucherkarten –

ROBERTS   Hör mal – nicht das erste Mal – auf einer Messe – . – alle Unterlagen.

WULF   Also gut – Voraussetzungen – Empfang – gegeben. Es bleibt – ob – Besuch bekommen.

ROBERTS   – keine Sorgen – . – Kunden – schriftlich – eingeladen. – auch die potentiellen. Auf unsere bekannte Gastfreundschaft – verzichten –

WULF   – schlage vor besorgen – Imbiß –

ROBERTS   !

▮C▮ Dialog

ROBERTS   Also Dieter, wo ist denn der Stand, den du für uns organisiert hast?

WULF   Da ist er. Sieht er nicht herrlich aus, James?

ROBERTS   Es fehlt sogar das Firmenschild da oben. Gut, daß wir noch einen Tag haben, bevor die Ausstellung eröffnet wird!

WULF   Na, na. Nur keine Umstände. Es geht schon alles in Ordnung. Zwar sieht der Stand im Moment ein bißchen trostlos aus, aber die Möbel werden jeden Augenblick von der Messebehörde geliefert.

ROBERTS   Ach so, was hast du denn extra für uns von der Messebehörde bestellt?

WULF   Alles, was ich bestellt habe, halte ich für notwendig. Das sind keine Extras.

ROBERTS   Aber, klar! Also was bekommen wir auf unserem Stand?

WULF   Erstens: das Firmenschild wird von diesem jungen Mann dort in der Ecke gefertigt. Dann habe ich einen Teppich bestellt, damit es gemütlicher aussieht.

ROBERTS   Prima. Und wir brauchen einen anständigen Schaukasten mit Beleuchtung damit die Erzeugnisse richtig auffallen.

WULF   Der kommt noch.

ROBERTS   Gut. Unsere Gäste sollen sich wie zu Hause fühlen. Wie wäre es mit einer kleinen Bar und einem Kühlschrank?

WULF   Keine Angst, Herr Kollege, ist alles schon bestellt.

ROBERTS   Die Herren von der Fa. Hast, und vielleicht auch die von Schaumberg werden uns besuchen, um ihre Aufträge zu besprechen. Wir brauchen also vier Sessel und zwei Hocker um den Gesprächstisch.

WULF   Und einen abschließbaren Schrank für unsere Papiere, damit wir sie nicht jeden Abend mitzunehmen brauchen.

ROBERTS   Sicher, und wir brauchen einen Stromanschluß.

WULF   Hör mal. Ich habe schon Erfahrung beim Ausstellen. Ich sagte schon: es ist alles erledigt. Aber du hast etwas vergessen.

ROBERTS   Was denn? Was brauchen wir denn noch? Ach ja – einen Kleiderständer; das ist natürlich sehr wichtig.

WULF   Eben. Und weiter?

ROBERTS   Hoffentlich hast du einen Telefonanschluß einrichten lassen, damit wir Fabrik und Kunden kontaktieren können?

WULF   Habe ich, – und ich erlaube mir zu fragen, ob du die relevanten Akten für die Kunden hast – zusammen mit Schreibblock, Broschüren, Besucherkarten usw.?

ROBERTS   Hör mal, das ist für mich auch nicht das erste Mal, das ich auf einer Messe bin. Ich habe alle Unterlagen da.

WULF   Also gut. Alle Voraussetzungen für den Empfang unserer Gäste sind gegeben. Es bleibt nur noch abzuwarten, ob wir überhaupt Besuch bekommen.

ROBERTS   Da brauchst du dir keine Sorgen zu machen, Dieter. Ich habe schon alle unsere Kunden schriftlich zum Stand eingeladen. Und auch die potentiellen Kunden natürlich. Auf unsere bekannte Gastfreundschaft werden sie wohl nicht verzichten wollen!

WULF   Gut. Also, ich schlage vor, wir besorgen jetzt die Drinks und einen Imbiß für sie.

ROBERTS   Eine gute Idee.

Fragen zum Dialog

1. Wer hat den Stand organisiert? *Herr Wulf hat alle Anordnungen getroffen*
2. Sieht der Stand herrlich aus? *Nein, trostlos*
3. Was wird jeden Augenblick passieren?
4. Betrachtet Herr Wulf die Möbel als ein 'Extra'?
5. Warum brauchen sie einen Schaukasten mit Beleuchtung?
6. Wie sollen sich die Gäste auf dem Stand fühlen? *wie zu Hause*
7. Warum brauchen sie einen Telefonanschluß? *die Fabrik + die Kunden kontaktieren können*
8. Was hat Herr Roberts mitgebracht? *Schreibblock Besucherkarten Broschüren*
9. Was hat er sonst noch gemacht? *alle Kunden schriftlich einge[laden]*

3. Die Möbel werden jeden Augenblick von der Messebehörde geliefert

Übungen

4. Er hält sie für notwendig

5. Damit die Erzeugnisse richtig auffallen

1 *Anordnungen treffen*

Beispiel   Ich reise morgen ab.
Antwort   Haben Sie alle Anordnungen für die Abreise getroffen?
1. Ich reise morgen ab. *die Abreise*
2. Er kommt morgen an. *die Ankunft*
3. Die Firma stellt nächsten Monat in Hannover aus. *die Ausstellung*
4. Sie besuchen uns am Freitag. *den Besuch*
5. Wir halten uns drei Tage in München auf. *den Aufenthalt*

2 *Es bleibt noch abzuwarten, ob . . .*

Beispiel   Wissen Sie, ob die Herren von Hast uns besuchen werden?
Antwort   Es bleibt noch abzuwarten, ob die Herren von Hast uns besuchen werden.
1. Wissen Sie, ob die Herren von Hast uns besuchen werden?
2. Haben Sie sich erkundigt, ob wir einen Telefonanschluß bekommen?
3. Haben sie uns mitgeteilt, ob die Sendung unterwegs ist?
4. Wissen Sie, wann die Waren ausgeliefert werden?
5. Sie haben keine Ahnung, ob er kommen wird oder nicht.

3 *Redewendungen* (Schriftlich)
Schreiben Sie fünf kurze Situationen für die folgenden Redewendungen:
keine Umstände
machen Sie sich keine Sorgen!

Lektion 10

Kredit in der DDR

Introduction

In dealing with the DDR, the salesman must be ready to react to situations or requests which normally would not be encountered in the West. The request for extended credit is one of these. The East Germans here have exhausted their annual purchasing allocation, yet require more of KIK's product to continue their production level. They can only do this if credit is extended to them until next year's allocation becomes available. The problem of a cash shortage next year is a bridge which has not as yet been reached!

Einleitung

Herr Roberts ist auf Besuch in der DDR. Er ist zu Gast bei der Firma VEB Anstrichstoffe – oder aber unser Dialog könnte auf einem Stand auf der Leipziger Herbstmesse stattfinden. Es geht hier um Kredit, den Geschäftspartner von der DDR oft benötigen, wenn das Geld für das laufende Jahr verbraucht ist. Besonders, natürlich, wenn KIK ein erfolgreiches Produkt hat! Herr Roberts trifft sich diesmal mit Herrn Dr Erhardt.

Development

1 Roberts in the first instance resorts to the response which casts his accounts department (*Finanzabteilung*) in the role of the uncooperative partner (the 'third party' response).
2 Insolvency. This is a harsh point, but treated lightly by Roberts, who has to make an inconsequential remark. Indeed in many cases, Erhardt may not have been very far wide of the mark.
3 Erhardt uses the tactic of isolating his opponent – suggesting they are alone (and therefore wrong) in their intransigence. This is countered by the familiar, 'It is company policy not to grant extended credit'.

   The export salesman should be aware in advance of the level of interest he should within reason demand to satisfy both his customer and his directors, for whom this situation will be less understandable than it is to the salesman himself.

Entwicklung des Dialogs

Erhardt	*Roberts*
1 Ohne Kredit – keine Aufträge.	
	Finanzabteilung sieht das sehr ungern.
2 Liquidität bedroht?	
	Ja, wenn *alle* Kunden Kredit verlangten.
3 Andere gewähren Kredit.	
	Bei uns, Vorschrift = kein Kredit.
4	Vorschlag: 15% Zinsen jährlich.
Gegenvorschlag: 5% Zinsen.	
5	Es wird verhandelt.

Vokabeln

(wir sind) bereit	*(we are) prepared*
meines Erachtens	*in my opinion*
dementsprechend	*accordingly*
keineswegs	*absolutely not, no way*
nicht im geringsten	*not in the least*
Volkseigener Betrieb (VEB)	*People's Factory (GDR)*
unnachgiebig	*obstinate, unyielding*
die Zinsrate	*rate of interest*

Redewendungen

nehmen Sie es mir nicht übel, aber ...	*don't be offended, but ... , with respect,*
versetzen Sie sich in meine Lage ...	*put yourself in my position ...*
wir sind in der Lage, ...	*we are in a position to ...*
rechnen mit	*to take into account, bank on*

Dialog: Schlüsselwörter

ERHARDT	– in der Lage – weiter – placieren.
ROBERTS	– erfreulich.
ERHARDT	– bereit sein, – Kredit – gewähren – sonst – keine Bestellung –
ROBERTS	– leider schwer. – sehe es ein, Partnern Kredit – Finanzabteilung –
ERHARDT	– erstaunt – übel – Liquiditätsprobleme?
ROBERTS	– nicht – Finanzleute verstehe – insofern – Probleme, – allen Kunden –
ERHARDT	– entgegenzukommen. – unnachgiebig –
ROBERTS	– Versetzen – Lage – . – Direktive – keine langfristigen Kredite –
ERHARDT	– kein kontinuierliches Geschäft –

ROBERTS   – Zinssätze – hoch – . – dementsprechend – hohen Satz – . – gedacht?
ERHARDT   – vorschlagen?
ROBERTS   – glaube – 15% – . – Entspricht das – Vorstellungen?
ERHARDT   – keineswegs – Planung – hoch.
ROBERTS   – mit 12% einverstanden?
ERHARDT   – wenn's – muß –
ROBERTS   – freut mich – einig werden konnten.

⊞ Dialog

ERHARDT   So, Herr Roberts, wir sind in der Lage, weitere Aufträge über mehrere
             Tonnen Material bei Ihnen zu placieren.
ROBERTS   Das ist sehr erfreulich.
ERHARDT   Sie müssen jedoch bereit sein, uns Kredit über ein Jahr zu gewähren;
             sonst kommen keine Bestellungen in Frage.
ROBERTS   Das ist leider sehr schwer. Ich sehe ein, daß wir unseren Partnern Kredit
             geben sollten, unsere Finanzabteilung sieht das aber sehr ungern.
ERHARDT   Wieso, Herr Roberts? Ich bin erstaunt. Nehmen Sie es mir bitte nicht
             übel, aber hat Ihre Firma Liquiditätsprobleme?
ROBERTS   (*lacht*) Das nicht gerade, aber unsere Finanzleute verstehe ich insofern,
             als wir solche Probleme hätten, wenn wir allen Kunden Kredit gewähr-
             ten.
ERHARDT   Nach meiner Erfahrung sind andere Firmen aus Ihrem Land meistens
             gerne bereit, ihrem Kunden in dieser Sache entgegenzukommen. Ich
             verstehe nicht, warum gerade Sie hier unnachgiebig sind.
ROBERTS   Versetzen Sie sich in meine Lage, Herr Dr Erhardt. Es ist in unserem
             Hause sozusagen eine Direktive, daß wir keine langfristigen Kredite
             geben.
ERHARDT   Und bei uns heißt es, daß wir unter Umständen ohne diese Möglichkeit
             mit ausländischen Firmen kein kontinuierliches Geschäft führen kön-
             nen.
ROBERTS   Also, Sie wissen, daß die Zinssätze zur Zeit sehr hoch sind. Sie müßten
             dementsprechend einen hohen Satz zahlen. An was für einen Satz
             hatten Sie gedacht?
ERHARDT   Sie müssen das wissen, Herr Roberts. Was würden Sie vorschlagen?
ROBERTS   Ich glaube, wir müßten in der jetzigen Lage mit 15% pro Jahr rechnen.
             Entspricht das Ihren Vorstellungen?
ERHARDT   Nicht im geringsten, keineswegs. Unsere Planung rechnet im großen
             und ganzen mit 5% pro Jahr. Meines Erachtens ist 15% viel zu hoch.
ROBERTS   Sie sind also mit 12% einverstanden?
ERHARDT   Na ja, wenn's sein muß, Herr Roberts.
ROBERTS   Gut. Es freut mich, daß wir uns darüber einig werden konnten.

⊞ Fragen zum Dialog

1. Ist Herr Roberts gerne bereit, VEB Anstrichstoff Kredit über ein
   Jahr zu gewähren? *Nein, er ist nicht gerne bereit*
2. Was sieht Herr Roberts ein? *ihnen Kredit zu gewähren*
   dass seine Firma ihren Kunden Kredit
   gewährt

3. Wie lautet die hier erwähnte Direktive von KIK?
4. Was für ein Geschäft hängt, nach Meinung der DDR-Firma, von Kreditmöglichkeiten ab? *ein kontinuierliches Geschäft*
5. Wie liegen die Zinssätze zur Zeit? *sehr hoch*
6. Mit welchem Zinssatz muß man unter den jetzigen Umständen rechnen? *Man muss mit einem Zinssatz von 26% rechnen*
7. Konnten sich die Herren schließlich darüber einig werden?

3. dass keine langfristigen Kredite gewährt werden dürfen 7. Ja, die Herren konnten sich darüber einig werden

E Übungen

1 *In der Lage sein*
   Beispiel Können Sie uns eventuell ein Standardprodukt anbieten?
   Antwort Ja, wir sind in der Lage, Ihnen ein Standardprodukt anzubieten.
   1. Können Sie ein Produkt nach unserer Spezifikation liefern?
   2. Können Sie den Preis in Pfund Sterling anbieten?
   3. Können Sie in größeren Mengen liefern?
   4. Können Sie Skonto für prompte Bezahlung geben?
   5. Sind Sie bereit, uns Kredit zu gewähren?

2 *Rechnen mit . . .*
   Beispiel Der Preis wird wohl nicht steigen, oder . . .?
   Antwort Doch, wir müssen damit rechnen, daß der Preis steigen wird.
   1. Der Preis wird wohl nicht steigen, oder . . .?
   2. Der Kunde wird wohl keine Kreditmöglichkeiten fordern, oder . . .?
   3. Der Konkurrent wird uns wohl nicht unterbieten, oder . . .?
   4. Der Auftrag wird wohl nicht von Kreditmöglichkeiten abhängig sein, oder . . .?
   5. Der Zinssatz wird wohl nicht steigen, oder . . .?
   6. Ich glaube nicht, daß der Flug verspätet ist.

3 *Übelnehmen*
   Beispiel Aber wir sind doch flexibel!
   Antwort Nehmen Sie es mir bitte nicht übel, aber ich glaube, Sie sind nicht flexibel.
   1. Aber wir sind doch flexibel!
   2. Das darf manchmal vorkommen.
   3. Das ist ein modernes System.
   4. Wir haben die Rechnung bezahlt.
   5. Ich kenne die Marktverhältnisse.
   6. Wir verstehen Ihre Probleme.

Lektion 11

Gegengeschäft

Introduction

A factory in the DDR wishing to import raw materials or semi-finished products will almost always have to deal through the appropriate export import concern. A typical one, as exemplified here (*Chemimpex*), might for instance deal with imports and exports for the whole country in the heavy chemicals sector.

At the negotiations, a representative from the DDR factory (*VEB Chemikalien*) will deal with technical questions and perhaps the quantity required, whilst the representative of the trading concern (*Chemimpex*) will negotiate price and terms. The order will come through the trading house, and all documentation relating to execution of the order will be through them. Here Erhardt, from the DDR factory is promoting the interests of his own concern, and not acting for the trading house.

Roberts is supported by KIK's subsidiary sales organisation (*Vertrieb*) in West Germany, based in Heidelberg.

Einleitung

Die Fa. KIK bewirbt sich um einen Auftrag von VEB Chemikalien, Erfurt, DDR. Das Angebot sieht günstig aus, und eine Besprechung ist bei dem Handelskombinat Chemimpex, der sich mit Außenhandel in diesem Sektor befaßt, veranstaltet worden. Anwesend sind u.a. Herr J. Roberts (KIK) und Herr Dr Erhardt (VEB Chemikalien, Erfurt). Es sprechen in der vorliegenden Verhandlung nur diese Herren, obwohl beachtet werden soll, daß auch das Handelskombinat Chemimpex sowie KIK Deutschland (Heidelberg) dabei vertreten sind.

Development

1 A surprise attack!
2 The concept of business 'partner' is common in Germany, rather than 'customer' or 'supplier'. Roberts counters with a variation of the 'isolation' response.

3 Roberts's argument of not wanting to compete with his own customer is a valid one, and very important. Let us take the following example in the tyre industry.

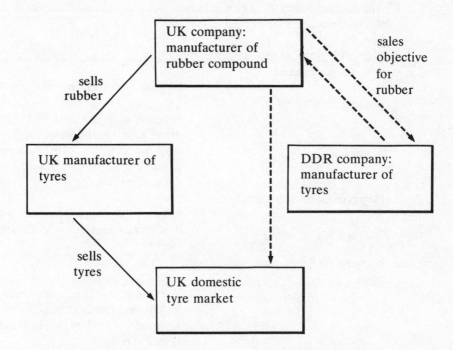

If the UK rubber company agrees with the DDR manufacturer to buy tyres as part of a counter-trade bargain, for resale in his own home market, he will be competing with his own UK customers. He will thereby lose the goodwill and confidence of the UK tyre manufacturers.

3 The BOTB does deal with the products of counter-trade arrangements. Its representative will assess the quantity of incoming goods required to fetch the price of the outgoing goods and will dispose of the incoming goods on the UK or world market. It will take a percentage fee.

5 Roberts is working on the assumption that Erhardt has been instructed to press for counter-trade by his superiors. It may even be standard practice to do so. Very often the man in Erhardt's position will be satisified with the kind of co-operation Roberts is offering. While either or both sides may suspect it will come to nothing (though Roberts makes the proposals in good faith), protocol has been complied with – so important in Eastern Europe.

Entwicklung des Dialogs

Erhardt	*Roberts*
1 Angebot in Ordnung, aber was kön-nen *Sie* von *uns* kaufen?	
	??!!??
2 Dienstleistung sollte gegenseitig sein: Gegengeschäft.	
	Bei uns nicht üblich.
Bei uns, Vorschrift.	
3	Bedenken: wenn wir Ihre Pro-dukte kauften und weiter verkauf-ten, würden in dem Fall mit britischen Kunden konkurrieren. Geht nicht.
Regierungsamt erledigt alles.	
	Sektor relativ klein, Kunden wür-den herausfinden, wer dahinter steckt.
4 Können Angebot nicht berücksich-tigen.	
5	Vorschlag: werde mich über Regierungsamt erkundigen, sowie Kontakte für Sie herausfinden. Lizenzvertrag?
6 In Ordnung. Sprechen wir über Ihre Bedingungen.	

Vokabeln

eine Anfrage an eine Person richten	*to send an enquiry to s.o.*
Bedarf haben	*to have a requirement for*
Bedenken haben	*to have misgivings, be doubtful about*
berücksichtigen	*to take into account, bear in mind*
einstellen	*to stop, cease*
die Einstellung	*attitude, point of view*
die Gegenleistung	*a return favour, service*
das Gegengeschäft	*counter trade*
gegenseitig	*mutual*
die Hilfeleistung	*aid, piece of help*
in erster Linie	*in the main*
der Lizenzvertrag	*licencing agreement*
die Marktverhältnisse	*market situation*
regelrecht	*real, proper, right*
vorliegend	*present, at hand*

vorschriftsmäßig	*according to instructions*
der Wettbewerb	*competition*

Redewendungen

sich machen lassen	*to be possible*
auf einem Standpunkt stehen	*to be of the opinion*

Dialog: Schlüsselwörter

ERHARDT   Also, Angebot recht interessant – Bedarf – Ihr Produkt.

ROBERTS   – fein – Anfrage ausgerechnet – richteten –

ERHARDT   Ehe – Einzelheiten – möchte wissen – kaufen können.

ROBERTS   Bitte, wie meinen –? Ich dachte –

ERHARDT   Vielleicht schon. – betrachten Zulieferanten – Geschäftspartner.

ROBERTS   Auf diesem Standpunkt – auch.

ERHARDT   Partner – gegenseitige Vorteile. – Gegenleistung – kaufen.

ROBERTS   – Gegengeschäft. Nehmen – übel, bei uns – üblich.

ERHARDT   – Vorschrift. – in u. Sektor – Hilfeleistung – kein Geschäft –

ROBERTS   Bedenken. – denke – erster Linie –

ERHARDT   ?

ROBERTS   – so. Produkt wird – verkauft – weiter verarbeiten.

ERHARDT   – klar.

ROBERTS   Wenn wir Ihr – verkauften, so würden wir dann – konkurrieren.

ERHARDT   – dieses Problem nicht. – Regierungsamt erledigt.

ROBERTS   Stimmt. Sektor nicht groß. – Kunden – kurz oder lang herausfinden, wer –

ERHARDT   – Einstellung – ein. Haben Ihre Kunden – ?

ROBERTS   So – nicht. – Marktverhältnisse – anders.

ERHARDT   In diesem Fall – berücksichtigen.

ROBERTS   Folgendes – versprechen.

ERHARDT   – Erleben.

ROBERTS   Werde mich weiter – Möglichkeiten bei – Regierungsamt erkundigen.

ERHARDT   Das ist –

ROBERTS   Wenn – positiv – läßt sich –

ERHARDT   – Kompromiß –

ROBERTS   Zweitens – Lage, Kontakte unter – für Sie auszusuchen.

ERHARDT   – interessant.

ROBERTS   Vielleicht – Lizenzvertrag – abschließen.

ERHARDT   – bis wann Bescheid?

ROBERTS   – die Sache sofort in Angriff –

ERHARDT   Sprechen wir – Bedingungen – Angebot.

🔲 Dialog

ERHARDT   Also, Herr Roberts. Ihr Angebot war recht interessant. Einen Bedarf haben wir auch an Ihrem Produkt.

ROBERTS   Das ist ja fein. Gut, daß Sie Ihre Anfrage ausgerechnet an uns richteten, Herr Erhardt.

ERHARDT   Ehe wir die Einzelheiten besprechen, möchte ich jedoch wissen, was *Sie* Ihrerseits von *uns* kaufen können.

ROBERTS   Bitte, wie meinen Sie das? Ich hatte den Eindruck, Sie wollten von uns kaufen.

ERHARDT   Vielleicht schon. Wissen Sie, wir betrachten unsere Lieferanten als regelrechte Geschäftspartner.

ROBERTS   Auf diesem Standpunkt stehen wir natürlich auch.

ERHARDT   Nun, Partner bieten sich gegenseitig Vorteile an. Als Gegenleistung halten wir es für fair, daß Sie etwas von uns kaufen.

ROBERTS   Ach so, Gegengeschäft meinen Sie. Nehmen Sie es mir bitte nicht übel, aber bei uns ist das nicht üblich.

ERHARDT   Bei uns ist es aber Vorschrift. Vorschriftsmäßig dürfen wir in unserem Sektor ohne gegenseitige Hilfeleistung überhaupt kein Geschäft führen.

ROBERTS   Ich habe Bedenken, Herr Erhardt. Ich denke in erster Linie an unsere Kunden im Inlandmarkt.

ERHARDT   Wie meinen Sie das?

ROBERTS   Es ist so. Dieses Produkt wird auch an andere Firmen verkauft, die es weiter verarbeiten.

ERHARDT   Darüber bin ich mir im Klaren.

ROBERTS   Nun, wenn wir Ihr Produkt verkauften, so würden wir dann praktisch mit unseren eigenen Kunden konkurrieren. Das geht nicht.

ERHARDT   Ja. Dieses Problem haben wir natürlich nicht. Aber Sie haben doch ein Regierungsamt, das solche Sachen erledigt.

ROBERTS   Stimmt. Unser Sektor ist aber nicht groß. Die Kunden würden über kurz oder lang herausfinden, wer dahinter steckt.

ERHARDT   Ihre Einstellung sehe ich nicht ein. Haben Ihre Kunden Angst vorm Wettbewerb? Oder, wenn Sie kalte Füße haben ...

ROBERTS   So ist es nicht, Herr Erhardt. Die Marktverhältnisse bei uns sind eben anders.

ERHARDT   In diesem Fall ist es schwer, Ihr Angebot weiter zu berücksichtigen.

ROBERTS   Folgendes kann ich aber versprechen.

ERHARDT   Ha – jetzt können wir was erleben.

ROBERTS   ... ich werde mich weiter nach den Möglichkeiten bei diesem Regierungsamt erkundigen. Geben Sie mir bitte Ihre Broschüre mit.

ERHARDT   Hmm. Das ist schon etwas.

ROBERTS   Wenn es positiv aussieht, läßt sich vielleicht etwas machen.

ERHARDT   Ein englischer Kompromiß, nicht wahr ...

ROBERTS   Zweitens wären wir in der Lage, Kontakte unter unseren Kunden für Sie auszusuchen.

ERHARDT   Das wäre interessant.

ROBERTS   Vielleicht könnten Sie dann einen Lizenzvertrag oder so was ähnliches abschließen.

ERHARDT   Und bis wann können Sie mir Bescheid geben?

ROBERTS   Wir werden die Sache sofort in Angriff nehmen.

ERHARDT   Gut. Sprechen wir also jetzt über die Bedingungen in Ihrem Angebot.

E **Fragen zum Dialog**

1. Hat VEB Chemikalien Bedarf an dem Produkt von KIK? *Ja, sie hat Bedarf daran*
2. Wie betrachtet VEB Chemikalien seine Lieferanten? *Er betrachtet sie*
3. Ist KIK auch dieser Ansicht? *Ja, auf diesem als regelrechte* *Standpunkt steht Geschäftspartner sie auch*
4. Ist Gegengeschäft für KIK üblich?
5. Inwiefern hat Herr Roberts Bedenken?
6. Was würden diese Kunden über kurz oder lang herausfinden?
7. Sind die Marktverhältnisse in Großbritannien anders als in der DDR? *Ja —*
8. Worüber will Herr Roberts sich noch erkundigen?
9. Welche Möglichkeit könnte sich für VEB Chemikalien bei den Kunden von Herrn Roberts in Großbritannien bieten?

Übung

Auf einem Standpunkt stehen (Schriftlich)
Beispiel Ich stehe auf dem Standpunkt, daß eine europäische Währung auf lange Sicht erforderlich sein wird.
Schreiben Sie fünf ähnliche Sätze über Fragen oder Themen, wo Sie eine bestimmte Meinung haben!

4 Nein, es ist für KIK nicht üblich.

5 Er denkt in erster Linie an seine Kunden im Inlandmarkt.

6 — wer dahinter steckt

8 Er will sich über die Möglichkeiten bei dem Regierungsamt für Gegengeschäft erkundigen

9 Das Abschließen eines Lizenzvertrag ist möglich.

Lektion 12

Ein Vortrag auf der Messe

Introduction

It is often assumed that, in relation to the business accruing from the venture, it is too expensive to exhibit in Eastern Europe.

This scene sets out to show one possibility – the lecture – of 'showing the flag' at a fair with a high chance of contacting the competent personnel and at minimum expense in terms of time and money. There are facilities for this type of presentation at many fairs: the author's particular experience is at the annual 'documentation fair' in Katowice, Poland.

Einleitung

Herr Roberts spricht mit dem Agenten für Deutschland und Osteuropa – Herrn Wulf – über die Vor- und Nachteile, auf Messen in diesem Gebiet auszustellen. Solche Ausstellungen finden in vielen Städten statt und werden von vielen bedeutenden Bereichsleitern und technischen Fachleuten besucht. Aber sie nehmen viel Geld und Zeit in Anspruch.

Development

Entwicklung des Dialogs

Roberts	*Wulf*
1 Ausstellungen teuer.	Auf Messen und Dokumentationsausstellungen einen Vortrag halten.
2 Wie?	Termin festlegen – Vortrag über technische Aspekte des Produktes.
3 Besucher?	Laden technische und kaufmännische Leute von potentiellen Kunden ein.

4 Kein Stand – keine Gast-
freundlichkeit.

Messebehörde richtet auf unsere
Kosten ein Büffet ein

5 Preis?

Zwei Tage, Buffet, Flug.

Vokabeln

ausstellen	*to exhibit*
die Behörde	*the authority*
sich erkundigen	*to enquire*
erwischen	*to discover, find out, pinpoint*
die Gastfreundlichkeit	*hospitality*
auf unsere Kosten	*at our expense*
rentabel	*economical*
Was kostet der Spaß?	*what does the whole affair cost?*
verraten	*to give away*
vertraulich behandeln	*to deal with in confidence*
im voraus	*in advance*
der Vortrag	*the lecture*

Redewendungen

das hat keinen Zweck	*that is no use*
sich machen lassen	*to be possible*
einen Termin festlegen	*to fix a date*
etwas zu wünschen übrig lassen	*to leave sth. to be desired*
eine Verbindung anknüpfen	*to make (a) contact*
das hört sich gut / schlecht an	*that sounds good / bad*
in Anspruch nehmen	*to take up, demand (time, money)*

Dialog: Schlüsselwörter

ROBERTS Ich glaube – irgendwo auf – ausstellen. – so viel Geld!
WULF Dokumentationsausstellungen – rentabel.
ROBERTS – keinen Zweck.
WULF Langsam! – gedacht, – Vortag – solchen Messe oder überhaupt –
ROBERTS – was für – ? Wie läßt sich – ?
WULF – einfach. – schreiben – Messebehörde – Termin – fest.
ROBERTS – während der Messe, in – ?
WULF Selbstverständlich, – sprechen – Aspekte – Produktes.
ROBERTS – vor allen Dingen – verraten!
WULF Staunen – verraten braucht! – Messebehörden – behandeln –
vertraulich.
ROBERTS Wer – Vortrag besuchen? – nämlich – wichtig.
WULF – haben – Kontaktpersonen – potentiellen Kunden –
ROBERTS – werden – zu der Zeit –
WULF –schicken – Einladungen – technischen – kaufmännischen –

ROBERTS ! – Weise – genau die Leute – , die – Produkt Interesse haben.

WULF – natürlich günstig –

ROBERTS Aber – keinen Stand – Gastfreundschaft – übriglassen.

WULF – Problem. – Büffet – unsere Kosten.

ROBERTS – gerade hier – neue Verbindungen – Verträge abschließen – hört sich – Kostet?

WULF – höchstens zwei Tage in Anspruch. – weiniger – Personal – Messe.

ROBERTS – mir denken, – Auf welchen Messen – möglich?

WULF – Osteuropa – westlichen Ländern – weiter – erkundigen.

🔲 Dialog

ROBERTS Ich glaube, wir müssen bald irgendwo auf einer Messe ausstellen. Leipzig, Hannover, Posen. Es kostet nur so viel Geld!

WULF Dokumentationsausstellungen in Osteuropa sind normalerweise sehr rentabel.

ROBERTS Das hat keinen Zweck.

WULF Langsam! Haben Sie schon daran gedacht, einen Vortrag auf einer solchen Messe, oder überhaupt auf einer Ausstellung zu halten?

ROBERTS Nein. Was für einen Vortrag denn? Wie läßt sich so etwas machen?

WULF Ganz einfach. Wir schreiben an die Messebehörde und legen einen Termin für den Vortrag fest.

ROBERTS Sie meinen während der Messe, in einer der Hallen?

WULF Selbstverständlich. Und wir sprechen über verschiedene Aspekte unseres Produktes.

ROBERTS Wir wollen vor allen Dingen nichts verraten!

WULF Sie werden staunen wie wenig man zu verraten braucht! Und die Messebehörden behandeln alles vertraulich.

ROBERTS Und wer soll diesen Vortrag besuchen? Das ist nämlich sehr wichtig.

WULF Wir haben schon Kontaktpersonen bei unseren potentiellen Kunden in Ost- und Westeuropa.

ROBERTS Die werden zu der Zeit vielleicht nicht da sein.

WULF Wir schicken also Einladungen im voraus an die technischen und kaufmännischen Leute, die wir schon kennen.

ROBERTS Wunderbar. Auf diese Weise haben wir genau die Leute erwischt, die an unserem Produkt Interesse haben.

WULF Das ist natürlich sehr günstig für uns!

ROBERTS Aber wir haben keinen Stand, unsere Gastfreundschaft wird etwas zu wünschen übriglassen.

WULF Kein Problem. Die Messebehörden richten gerne ein Büffet ein – auf unsere Kosten.

ROBERTS Und gerade hier können wir unsere neuen Verbindungen anknüpfen! Vielleicht sogar ein paar Verträge schließen. Das hört sich gut an. Und was kostet der Spaß?

WULF Das Ganze nimmt höchstens zwei Tage Ihrer Zeit in Anspruch. Das ist viel weniger als ein Stand mit Personal während der ganzen Messe.

ROBERTS Das kann ich mir denken. Auf welchen Messen wäre das eventuell möglich?

WULF   Sowohl in Osteuropa, als auch in westlichen Ländern. Ich kann mich weiter danach erkundigen . . .

Fragen zum Dialog

1. Wie reagiert Herr Roberts auf den Vorschlag, auf einer Dokumentationsausstellung in Osteuropa auszustellen?
2. Was macht man zuerst als Vorbereitung auf eine solche Unternehmung?
3. Was muß man vor allen Dingen beachten?
4. Wie behandelt die Messeleitung alle Informationen? *vertraulich*
5. Auf wessen Kosten richtet die Messeleitung gerne ein Büffet ein?
6. Was kann man eventuell bei einem Büffet machen?
7. Was wird Herr Wulf noch machen?

Übung

Das läßt sich machen / das könnte problematisch sein

Beispiel 1   Können Sie den Liefertermin um ein paar Tage vorverlegen?
Antwort 1   Das läßt sich machen.
Beispiel 2   Bitte finden Sie den Konkurrenzpreis heraus!
Antwort 2   Das könnte problematisch sein.

Bitte antworten Sie je nach dem Sinn mit *das läßt sich machen* bzw. *das könnte problematisch sein*.

1. Können Sie den Liefertermin um ein paar Tage vorverlegen?
2. Bitte finden Sie den Konkurrenzpreis heraus!
3. Können Sie unsere potentiellen Kunden zum Vortrag einladen?
4. Wir müssen unseren Agenten sofort kündigen.
5. Können Sie uns die Waren in den nächsten paar Tagen schicken?
6. Wir müssen einen riesengroßen Empfang veranstalten und alle Kunden einladen.
7. Können Sie für unsere Gäste ein kleines Büffet einrichten?

Handwritten answers:

1. Er meint, es hat keinen Zweck.
2. Man schreibt an die Messeleitung und legt einen Termin fest
3. Man darf vor allen Dingen nichts verraten
5. Auf Kosten der Firma, die das Büffet beantragt
6. Man kann neue Verbindungen anknüpfen und eventuell auch ein paar Verträge schliessen
7. Er will sich noch über die Möglichkeiten informieren.

Lektion 13

Reklamation

Introduction

KIK has made a delivery in which 45% of the components are faulty in that several tolerances have not been held, and Herr Lüdecke demands a visit to clear the matter up promptly.

Mr Roberts' first question is how many of the components are faulty. Quality control specifications are very precise about this: typically, up to 8% of a delivery may be faulty without the supplier being liable for the replacement or making good of the faulty components. The AOQL (Average Outgoing Quality Level in German as well as in English) will have been agreed in advance. Here, obviously, KIK is at fault and liable.

To save time, the parts are to be reworked at a local contractor's at KIK's expense. Roberts requests that the labels be removed from the containers so the contractor, who may be on good terms with KIK's German competitors, will not discover where the components are from. This is purely a precautionary measure with which Lüdecke is ready to comply.

Einleitung

KIK hat eine Reklamation per FS von der Fa. Hast erhalten. Es handelt sich hier um eine Teilsendung der Bestellung Nr. 1046, die mangelhaft ist. Herr Lüdecke hat Herrn Roberts gebeten, ihn sofort zu besuchen, damit die Angelegenheit möglichst schnell geklärt wird. Wir hören jetzt das Gespräch zwischen den beiden Herren.

Development

Entwicklung des Dialogs

Lüdecke	*Roberts*
1	*(liest FS vor)*
2 Toleranzen überschritten.	
	Welcher Prozentsatz der Lieferung?
45%.	
3 Wollte Rechung kürzen.	
	Nein. Nehmen Sendung zurück.
4 Hauptsache: Angelegenheit dringend. Teile hier verbessern und Sie berechnen.	
	Ja. Kostet?
Überfragt.	
5	Wie lange?
Eine Woche.	
6	Markierung entfernen.
In Ordnung.	

Vokabeln

die Beanstandung	*complaint*
die Bestellnummer	*order number*
die Büchse	*can, tin*
eine Rechnung um einen Betrag kürzen	*to reduce to invoice by an amount*
die Entschädigung	*compensation*
der Luftfrachtbrief	*air waybill*
der Mangel	*lack, shortage*
mangelhaft	*substandard*
die Markierung	*marking (on container)*
die Proforma-Rechnung	*proforma invoice*
der Restbetrag	*the outstanding quantity*
der Rückstand	*arrears*
die Sendung	*consignment*
die Sortierungskosten	*sorting costs*
im Stich lassen	*to leave in the lurch, let s.o. down*
die Teilsendung	*part shipment*
mit Aufträgen überhäuft sein	*to be overloaded with orders*
unverzüglich	*without delay, immediately*
voraussichtlich	*probably*
die Voraussetzungen erfüllen	*to fulfil requirements*
die Restlieferung vornehmen	*to send the remaining part shipment*

Redewendungen

das geht ihnnichts an	*that is none of his business*
da bin ich überfragt (ich weiß	*(that is something) I don't know*
es nicht)	

Dialog: Schlüsselwörter

ROBERTS – habe FS – 'Beanstandung – Bestellnr. Teilsendung – Luftfrachtbrief. – mangelhaft. Bitte – Besuch.'

LÜDECKE – technischer Leiter – Toleranzen – überschritten. – Teile – gebrauchen.

ROBERTS – überrascht. – Prozentsatz – mangelhaft.

LÜDECKE – steht – 45%. Weit – Qualitätsnorm. – wollte – sofort um die Sortierungs – und Verarbeitungskosten kürzen.

ROBERTS – unangenehm –

LÜDECKE – weiß –

ROBERTS – dachte – Voraussetzungen erfüllt. – nichts anderes übrig – zurücknehmen –

LÜDECKE – Sache – die: Angelegenheit – dringend. Da – Auftrag – Rückstand – im Stich. Auf Entschädigung – nicht an: – können Teil hier verarbeiten lassen – berechnen.

ROBERTS – Summe – Restbetrag – abziehen. Wieviel?

LÜDECKE – überfragt.

ROBERTS – Wie lange?

LÜDECKE Voraussichtlich. – im Moment – überhäuft.

ROBERTS – bitten – Markierung entfernen – Bezugsquelle – verraten?

LÜDECKE – geht – nicht an –

ROBERTS – Dank – Verfahren überprüfen – planmäßig Restlieferung vornehmen.

LÜDECKE Fein

[13] Dialog

ROBERTS Ich habe Ihr FS gerade hier, Herr Lüdecke: 'Beanstandung: Betrifft: Bestellnummer 1046, Teilsendung 2, Luftfrachtbrief Nr. 20721. Sendung mangelhaft. Bitte um sofortigen Besuch.'

LÜDECKE Jawohl, Herr Roberts. Unser technischer Leiter teilte mir mit, die gegebenen Toleranzen wären überschritten. So können wir die Teile nicht gebrauchen.

ROBERTS Ich bin überrascht. Welcher Prozentsatz der Sendung war mangelhaft?

LÜDECKE Hier steht 45%. Weit über den Grenzen der zutreffenden Qualitätsnorm. Ich wollte die Rechnung sofort um die Sortierungs– und Verarbeitungskosten kürzen ...

ROBERTS Das wäre sehr unangenehm gewesen, Herr Lüdecke.

LÜDECKE Ich weiß, ich weiß.

ROBERTS Ich dachte, wir hätten alle technischen Voraussetzungen erfüllt. Aber es bleibt uns nichts anderes übrig, als die Sendung zurückzunehmen, nachdem ich sie überprüft habe, natürlich.

LÜDECKE Die Sache ist die: die Angelegenheit ist dringend. Da der ganze Auftrag sowieso im Rückstand ist, haben Sie uns diesmal wirklich im Stich gelassen. Auf Entschädigung kommt es nicht an: wir können die Teile hier verarbeiten lassen, und es Ihnen berechnen.

ROBERTS   Oder aber wir können die Summe vom Restbetrag der ganzen Bestellung abziehen. Wieviel wird das wohl sein?

LÜDECKE   Da bin ich im Moment überfragt.

ROBERTS   Und wie lange wird es dauern?

LÜDECKE   Voraussichtlich eine Woche. Unsere Vertragswerkstatt ist im Moment nicht gerade mit Aufträgen überhäuft.

ROBERTS   Darf ich Sie bitten, die Markierung der Büchsen zu entfernen, damit Ihre Bezugsquelle dadurch nicht verraten wird?

LÜDECKE   Jawohl. Das geht ja die Herren nichts an, woher wir die Teile beziehen, nicht wahr?

ROBERTS   Vielen Dank. Wir werden das Verfahren überprüfen und die Restlieferung planmäßig nächsten Monat vornehmen.

LÜDECKE   Fein.

Fragen zum Dialog

1. Welche Angaben über die Sendung stehen im Fernschreiben?
2. Welcher Prozentsatz der Sendung war mangelhaft? *45%*
3. Um welche Summe wollte Herr Lüdecke die Rechnung kürzen?
4. Ist der ganze Auftrag im Rückstand? — *Ja, er ist im Rückstand*
5. Wie soll, laut Herrn Roberts, die Weiterverarbeitung der Teile bezahlt werden?
6. Die Vertragswerkstatt ist *nicht* mit Aufträgen überhäuft, nicht wahr? *Nein*
7. Wann wird KIK die Restlieferung vornehmen? *KIK wird die Restlieferung nächsten Monat vornehmen.*

Übungen

1   *Da bin ich überfragt / darüber bin ich mir im Klaren*
   Beispiel 1   Wissen Sie, daß die Lieferungen im Rückstand sind?
   Antwort 1   Darüber bin ich mir im Klaren.
   Beispiel 2   Wissen Sie, wann die Restlieferung folgt?
   Antwort 2   Da bin ich überfragt.
   Bitte antworten Sie je nach dem Sinn mit *darüber bin ich mir im Klaren* bzw. *da bin ich überfragt.*

2   1. Wissen Sie, wie hoch der Restbetrag ist?
1   2. Wissen Sie, daß wir die Sendung zurückgewiesen haben?
1   3. Wissen Sie, daß die Lieferung im Rückstand ist?
2   4. Wissen Sie, wann die erste Teilsendung hier eintreffen wird?
1   5. Wissen Sie, daß die Restlieferung verspätet ist?
2   6. Wissen Sie, wann die Restlieferung erfolgt?

1. Die Bestellnummer, die Teilsendungnummer und die Luftfrachtbriefnummer sind angegeben.
3. Er wollte um die Sortierungs- und Verarbeitungskosten kürzen.
5. KIK soll die Summe vom Restbetrag der ganzen Bestellung abziehen (—)

■ 2 *Das geht (ihn) nichts an*
    Beispiel   Er möchte mehr darüber wissen.
    Antwort   Das geht ihn aber nichts an.
1. Er möchte mehr darüber wissen.
2. Sie wollen sich darin einmischen.
3. Der Konkurrent hat sich nach Ihrem Preis erkundigt.
4. Unser Kunde möchte wissen, was wir für die Rohmaterialen bezahlen.
5. Der Konkurrent hat sich nach Ihrer Preislage erkundigt.

  3 *Eine Rechnung um einen Betrag kürzen* (Schriftlich)
    Beispiel   Zweihundert Pfund.
    Antwort   Ich habe die Rechnung um zweihundert Pfund gekürzt.
    Bitte schreiben Sie mit Hilfe der Stichwörter fünf ähnliche Sätze!
    1. die Sortierungskosten.
    2. die Verarbeitungskosten.
    3. 10 Prozent.
    4. dieser Betrag.
    5. die Aufstellungskosten.

Lektion 14

Preiserhöhung

Introduction

Here, KIK is supplying a product to Hast on a regular basis. Roberts is negotiating a follow-on order for which he requires a price increase.

He initially justifies a higher price level by invoking Britain's relatively high inflation rate, an argument which finds little sympathy in West Germany, due to that country's relatively low rate of inflation. Roberts has to itemise cost elements affected by inflation, but still his argument seems to carry little weight.

The argument develops into a discussion of the changing currency exchange rates: KIK, paying for the raw material from abroad in foreign currency and invoicing the finished product in sterling, loses money twice, whenever the value of the pound goes down.

He still seems to be making little headway, and oversteps the mark by suggesting – however indirectly – that Hast's supplies will be cut off if they do not agree to a price increase. Lüdecke immediately takes this as commercial blackmail, which is probably an (intended!) over-reaction. Roberts is forced to retreat, making his negotiating position more difficult.

Einleitung

Personen: Roberts (KIK)
            Lüdecke (Fa. Hast GmbH)
Beide Firmen stehen seit langer Zeit im Geschäft miteinander. In der vorliegenden Verhandlung versucht Herr Roberts, den Preis seines Produktes zu erhöhen. Er begründet seine Forderungen mit verschiedenen Argumenten, wobei er (Punkt 6) die Sache übertreibt.

Development

1 The standard reason (usually quite genuine qualitatively, though not necessarily quantitavely) for the request for a price increase, is inflation. This, even in relatively stable economic conditions.

4 Here, Roberts points out that since Hast pays in £ and the £ is floating downwards against the DM, a price increase will add little if anything to Hast's DM–account.

5 Since KIK buy their raw material from abroad in foreign currency, and sell the semi-finished product to Hast, invoicing in £, they suffer doubly at every reduction in the value of the £ on the international money market.

6 Roberts goes too far here. He suggests, obliquely, that supplies may be cut off if Hast does not come to some arrangement on a price increase. Hence the charge of blackmail. It could be argued that this is an over-reaction on the part of Lüdecke, but the elements of blackmail are there. Roberts has to retreat by insisting that it is an objective statement of fact. He should of course have prefaced the comment with this if it needed to have been made at all.

Entwicklung des Dialogs

Lüdecke	*Roberts*
1 Prognose: Voraussetzung – Preis bleibt.	
	Erhöhung: Inflation.
Das ist keine Begründung in D.	
2	Arbeitskräfte u. Angestellte – Lohnerhöhungen: direkte und indirekte Kosten betroffen.
Wir auch aber unser Kunde will Preisreduzierung!	
3	Preis des Rohstoffes gestiegen.
Ihr Risiko.	
4	£ sinkt: Erhöhung macht Ihnen nichts aus.
Haben mit unserem Geld spekuliert: Gewinn gehört uns.	
5	Wir importieren Rohstoff: bezahlen in ausl. Währung: zweimal Verlierer.
Hart sein: in £ zahlen!	
	Nicht möglich.
6	Produkt nicht weiter herstellen.
Erpressung?!	
	Es wird verhandelt.

Vokabeln

der Anstrichstoff	*paint*
begründen	*to justify, give reasons for*
betreffen	*to hit, affect*
bilden	*to form, (here) to be*

beziehen	*to buy, obtain*
einigermaßen	*to some extent*
ermäßigen	*to lower (price)*
die Erpressung	*blackmail*
erteilen + Dat.	*to place (order) with*
feuern, entlassen	*to fire, dismiss*
die Geldentwertung	*inflation*
die Kursschwankung	*fluctuations in the (exchange) rate*
in der Lage sein	*to be in a position to*
Preisänderung vorbehalten	*the right to change the price is reserved*
die Prognose	*forecast*
spekulieren	*to speculate*
unerhört	*outrageous*
unsererseits, meinerseits usw.	*on / for our part, my part*
die Warenbörse	*commodity market*
vertragen	*to tolerate, bear*
die Zusatzkosten	*increased costs, additional costs*

Redewendungen

Geld aufs Spiel setzen	*to put money at risk*
ohne weiteres	*(yes,) no problem*
einer Sache auf den Grund gehen	*to get to the bottom of sth.*
das macht Ihnen (mir) nichts aus	*it makes no difference to you (me)*
an Ihrer Stelle . . .	*if I were you. . .*
sich etwas gefallen lassen	*to put up with, tolerate*
jemandem recht geben	*to agree with s.o.*
es kommt Ihnen umso billiger	*you will find it all the cheaper*

Dialog: Schlüsselwörter

ROBERTS   Wie ich – Schreiben ersehe – in der Lage – weitere Bestellung placieren.

LÜDECKE   Jawohl. – verbleiben.

ROBERTS   – brauchten – wegen – Inflation – erhöhten Preis.

LÜDECKE   Moment. – Preiserhöhung.

ROBERTS   Löhne steigen – England – Deutschland. – Arbeitskräfte und Büroangestellte – unwahrscheinliche – bekommen. – direkte – indirekte – betroffen –

LÜDECKE   Ihre Sache. – keine erlauben.

ROBERTS   – Rohstoffe – gestiegen – . – Preislage – Warenbörse – 20% – zuvor. – nicht allein Zusatzkosten tragen.

LÜDECKE   Da gebe ich – . Kursschwankungen – . – sinken!

ROBERTS   Das wird – ausmachen, da – Pfund – gesunken – . Da in £ – kommt es für Sie – .

LÜDECKE	Auf diesem Vorteil – . – gesetzt.
ROBERTS	Sie – £ – wir – Rohmaterial – ausl. Währung. – zweimal –
LÜDECKE	Sie sollten – . – fällt!
ROBERTS	Dagegen – kaum etwas – . Preisänderungen – vorbehalten. Auf jeden Fall müßten wir – Gründen – bitten.
LÜDECKE	Ich darf – . – festgelegt worden.
ROBERTS	– kaum möglich – diesem Preis – weiter herzustellen.
LÜDECKE	– Erpressung! –
ROBERTS	Nein. – gemeint. – Lage – so. Deshalb – Betriebsleitung – 12% – Exportsektor –
LÜDECKE	– unerhört –
ROBERTS	Da Sie aber – grossen Mengen – beziehen, habe ich – Chef – 10%igen – überredet.
LÜDECKE	– höchstens – begründen. –
ROBERTS	In Ordnung – hoffe – nicht gefeuert – berichte.

⟨ Dialog

ROBERTS	Wie ich aus Ihrem Schreiben ersehe, Herr Lüdecke, sind Sie in der Lage, eine weitere Bestellung für diesen Anstrichstoff zu placieren.
LÜDECKE	Jawohl. Ich habe natürlich für meine Prognose vorausgesetzt, daß wir bei dem jetzigen Preis verbleiben.
ROBERTS	Wir brauchten leider wegen der allgemeinen Inflation einen erhöhten Preis.
LÜDECKE	Moment. So geht das nicht ohne weiteres. Gehen wir der Sache auf den Grund. 'Inflation' bildet hier in Deutschland keinen Grund für eine Preiserhöhung.
ROBERTS	Löhne steigen in England genauso wie hier in Deutschland. Unsere Arbeitskräfte und Büroangestellten haben unwahrscheinliche Lohnerhöhungen bekommen. Deshalb sind direkte und indirekte Kosten schwer betroffen worden.
LÜDECKE	Das ist Ihre Sache. Solche Probleme haben wir auch. Unser Absatzmarkt jedoch verträgt keine Preiserhöhungen. Deshalb können wir unsererseits keine erlauben.
ROBERTS	Die Preise der Rohstoffe sind auch gestiegen, wissen Sie. Die Preislage dieser Materialien auf der Warenbörse ist jetzt 20% höher als zuvor. Man kann von uns nicht erwarten, daß wir diese Unkosten allein tragen.
LÜDECKE	Da gebe ich Ihnen einigermaßen recht. Kursschwankungen gibt es immer. Aber ich habe es noch nie erlebt, daß Preise ermäßigt werden, wenn die Rohstoffpreise sinken!
ROBERTS	Das wird Ihnen sowieso kaum etwas ausmachen, da das Pfund inzwischen um etwa 5% gesunken ist. Da Sie in £ bezahlen, kommt es für Sie umso billiger.
LÜDECKE	Auf diesen Vorteil haben wir ja spekuliert, indem wir Ihrer Firma den Auftrag überhaupt erteilten. Wir haben unser Geld aufs Spiel gesetzt.
ROBERTS	Sie bezahlen in £ und wir bezahlen das Rohmaterial in ausländischer Währung. Dabei verlieren wir zweimal sozusagen.
LÜDECKE	Sie sollten härter sein, Herr Roberts! An Ihrer Stelle würde ich es mir

nicht gefallen laßen, in der Landeswährung Ihres Lieferanten zahlen zu müssen, während das £ fällt!

ROBERTS   Dagegen ist kaum etwas zu machen. Preisänderungen wurden sowieso vorbehalten. Auf jeden Fall müßten wir Sie aus all diesen Gründen um eine 10%ige Preiserhöhung bitten.

LÜDECKE   Ich darf Ihnen höchtens 5% erlauben. Das ist als Richtlinie von der Geschäftsführung festgelegt worden.

ROBERTS   Es wäre für uns kaum möglich, das Produkt zu diesem Preis weiter herzustellen.

LÜDECKE   Das hört sich nach Erpressung an, Herr Roberts!

ROBERTS   Nein. So ist es nicht gemeint. Die Lage ist nun einmal so. Deshalb hat unsere Betriebsleitung eine allgemeine Preiserhöhung von 12% in dem Exportsektor vorgeschrieben.

LÜDECKE   Das ist ja unerhört! Kommt gar nicht in Frage, Herr Roberts.

ROBERTS   Da Sie aber in großen Mengen von uns beziehen, habe ich meinen Chef zu einer 10%igen Erhöhung überredet.

LÜDECKE   Ich könnte höchstens 7½% bei meinem Bereichsleiter begründen. Mehr ist nicht drin.

ROBERTS   In Ordnung, aber ich hoffe, ich werde nicht gefeuert, wenn ich dies daheim berichte . . .

📧 Fragen zum Dialog

1. Unter welcher Voraussetzung ist Herr Lüdecke in der Lage, eine weitere Bestellung bei KIK zu placieren?
2. Ist 'allgemeine Inflation' ein Grund für eine Preiserhöhung? *Nein*
3. Welche Arbeitnehmergruppen haben bei KIK Lohnerhöhungen bekommen?
4. Welche Kosten sind dadurch betroffen worden? *Direkte und indi-rekte*
5. Ist KIK bereit, alle erwähnten Mehrkosten zu tragen? *Nein*
6. Herrschen ermäßigte Preise, wenn der Warenkurs tief liegt?
7. Nennen Sie einen Grund, warum die Fa. Hast der Fa. KIK den Auftrag für dieses Produkt überhaupt erteilte.
8. In welcher Währung bezahlt KIK das Rohmaterial?
9. Auf welche Klausel muß sich Herr Roberts letzten Endes beziehen – um sich überhaupt durchzusetzen?
10. Welche Preiserhöhung könnte Herr Lüdecke bei seinem Bereichsleiter begründen? *Er könnte höchstens 7½% begründen (einreden)*

1 - Die Voraussetzung ist, dass der jetzige Preis bleibt.

3 - Arbeiter und Angestellte haben Lohnerhöhungen bekommen.

6 - Nein, Preise werden nicht ermässigt, wenn die Rohstoffpreise sinken.

7. Sie hat auf die Abwertung des Pfundes speculiert.

8. Sie bezahlt es in der Landeswährung ihres Lieferanten.

9 - Er muss sich auf die Klausel, Preisänderung und

C **Übungen**

1 *Aufs Spiel setzen*
  Beispiel   unser Geld
  Antwort   Wir haben unser Geld aufs Spiel gesetzt.
  1. unser Geld.
  2. die ganze Prognose.
  3. unser guter Ruf.
  4. das investierte Geld.
  5. unsere guten Beziehungen.

2 *Sich eine Sache gefallen lassen*
  Beispiel   Eine solche Antwort finde ich unverschämt.
  Antwort   Eine solche Antwort würde ich mir nicht gefallen lassen.
  1. Eine solche Antwort finde ich unverschämt.
  2. Solches Benehmen ist unerhört nicht wahr?
  3. So etwas gibt's doch nicht.
  4. Das dürfte nicht vorkommen.
  5. Eine solche Unverschämtheit habe ich noch nie erlebt!

3 *Ohne weiteres / keineswegs*
  Beispiel 1   Sind Sie bereit, über die Angelegenheit zu diskutieren?
  Antwort 1   Ja, ohne weiteres.
  Beispiel 2   Wir wollen die Zusatzkosten doch nicht allein tragen!
  Antwort 2   Nein, keineswegs.
  Bitte antworten Sie je nach dem Sinn mit *ohne weiteres* bzw. *keineswegs*:
  1. Sind Sie bereit, über die Angelegenheit zu diskutieren?
  2. Wir wollen die Zusatzkosten doch nicht allein tragen!
  3. Sie wollen die Waren doch nicht mit einem Verlust verkaufen!
  4. Würden Sie das für uns tun?
  5. Sie wollen doch nicht behaupten, daß wir bald Pleite machen!
  6. Würden Sie uns den Auftrag erteilen, wenn der Preis etwas günstiger
     wäre?

Lektion 15

Preissenkung

Introduction

Here we have a situation where Fa. Hast has a dual supply ('Wir müssen auf zwei Beinen stehen'), of which KIK is one source, quoting a price comparable to its competitor. Supply is continuous against regular orders for fixed quantities.

Suddenly, KIK's competitor reduces his price drastically, putting KIK in great danger of losing its share of the business.

This readiness to enter a price war might be a sign of great strength, of vast financial resources to support this loss-maker for wider, strategic reasons. However, it is more likely to be a sign of weakness, a kind of 'last-ditch attempt' to retrieve a worsening financial situation.

Mr Roberts construes it this way, and finds a receptive ear in Herr Lüdecke.

Einleitung

Die Fa. Hast bezieht schon längst ein Produkt von der Fa. KIK. Herr Roberts und Herr Lüdecke verhandeln hier über eine weitere Bestellung. Es stellt sich heraus, daß die Konkurrenz von der Fa. Hast ein sehr niedriges Preisangebot gemacht hat . . .

Development

Entwicklung des Dialogs

Lüdecke	*Roberts*
1 Firma, die niedrigsten Preis anbietet, bekommt Auftrag. Preis Ihres Konkurrenten.	
2	Waren Sie wegen der Senkung überrascht?
Ja.	
3 ?	An Ihrer Stelle: mißtrauisch.
4	Vielleicht Liquidität bedroht: Konkurrent braucht dringend Geld. Deshalb niedrige Preise für mehr Aufträge.
5 Aber Konkurrent macht doch nicht Pleite!	
	Vielleicht nicht, aber zuverlässig?
6 Hmm . . . 5% Preissenkung von *Ihnen* vielleicht?	
	. . . noch besprechen.

Vokabeln

ahnen	*to suspect, guess*
andeuten	*to suggest, imply*
bedrohen	*to threaten*
einen Auftrag erteilen (*dat.*)	*to place an order with*
die Gewinnspanne	*profit margin*
knapp bei Kasse	*broke*
herabsetzen	*to lower (price)*
konkurrenzfähig	*competitive*
liquide Mittel	*liquid funds, ready cash*
Pleite machen	*to go bankrupt*
mißtrauisch	*suspicious*
hinter (Problemen) stecken	*to be at the back of (problems)*
wesentlich	*basic, considerable*

Redewendungen

wir sollten nicht außer Sicht lassen, daß . . .	*we shouldn't forget that . . .*
von wesentlicher Bedeutung	*crucial, very important*
oft stecken solche Probleme dahinter	*there are often such problems at the back of things*
Sie wollen doch nicht behaupten, daß . . . !	*you're (surely) not trying to tell me that . . . !*

Dialog: Schlüsselwörter

LÜDECKE — gehen davon aus – Preis – erteilt wird. – Konkurrent – herabgesetzt – gezwungen – beziehen.

ROBERTS — Standpunkt – ein. Aber – fragen, ob – im voraus geahnt – ?

LÜDECKE — überrascht.

ROBERTS — interessant. – Stelle – mißtrauisch.

LÜDECKE Wieso? – Preis – günstig.

ROBERTS In den meisten Fällen – Preissenkung dieser Art – erklären, daß – Liquidität – bedroht –

LÜDECKE — meinen – ?

ROBERTS — einfach – knapp bei Kasse – braucht – liquide Mittel. – geht – darum, – möglichst viele – möglichst wenig – . Auch wenn – Gewinnspanne – – gering – negativ –

LÜDECKE — nicht behaupten – Pleite macht?

ROBERTS — zu viel gesagt. – oft stecken – Preissenkung – Art. Muß gewiß sein, – Geschäftspartner – zuverlässig –

LÜDECKE — recht – Ihnen versichern – nicht der Fall –

ROBERTS — nicht außer Sicht – Kontinuität in den Lieferungen – Bedeutung –

LÜDECKE — überein – 5%ige Preissenkung – konkurrieren – ?

ROBERTS — noch gerne besprechen –

Dialog

der Aufträge

LÜDECKE Herr Roberts, wir gehen davon aus, daß der Firma mit dem konkurrenzfähigsten Preis die Bestellung erteilt wird. Nun hat Ihr Konkurrent seinen Preis für diesen Artikel derart herabgesetzt, daß wir gezwungen sind, ihn diesmal von ihm und nicht von Ihnen zu beziehen.

ROBERTS Ihren Standpunkt sehe ich völlig ein, Herr Lüdecke. Aber darf ich fragen, ob Sie diese Preissenkung im voraus geahnt haben?

LÜDECKE Überhaupt nicht. Wir waren völlig überrascht.

ROBERTS Hmm. Das ist interessant. An Ihrer Stelle wäre ich mißtrauisch.

LÜDECKE Wieso denn mißtrauisch, Herr Roberts? Der Preis ist für uns doch sehr günstig.

ROBERTS In den meisten Fällen ist eine plötzliche Preissenkung dieser Art dadurch zu erklären, daß die Liquidität der Firma bedroht ist.

LÜDECKE Wie meinen Sie das, Herr Roberts?

ROBERTS Ganz einfach: eine Firma ist knapp bei Kasse und braucht dringend liquide Mittel. Es geht also darum, möglichst viele Aufträge in möglichst kurzer Zeit zu gewinnen. Auch wenn die Gewinnspanne dabei sehr gering oder gar negativ ist.

LÜDECKE Aber Sie wollen doch nicht behaupten, daß Ihr Konkurrent bald Pleite macht?!

ROBERTS Nein, das wäre zu viel gesagt. Ich sage nur, oft stecken solche Probleme hinter einer Preissenkung dieser Art. Man muß gewiß sein, daß der Geschäftspartner stabil und zuverlässig ist.

LÜDECKE Da gebe ich Ihnen völlig recht, aber hier kann ich Ihnen versichern, daß dies nicht der Fall ist . . .

ROBERTS Man darf nämlich nicht außer Sicht lassen, daß die Kontinuität der Lieferungen für eine Firma wie Ihre von wesentlicher Bedeutung ist.

LÜDECKE Da stimme ich mit Ihnen überein . . . Eh . . . Sagen Sie, Herr Roberts, käme eine 5%ige Preissenkung bei Ihnen in Frage, um hier besser konkurrieren zu können?

ROBERTS Das können wir noch gerne besprechen, Herr Lüdecke . . .

Fragen zum Dialog

1. Wovon geht die Fa. Hast aus?
2. Hatte Herr Lüdecke die Preissenkung der Konkurrenz vorausgesehen? *Nein, er hatte sie nicht geahnt.*
3. Wenn eine Firma knapp bei Kasse ist, worum geht es, um zu überleben?
4. Bei was für einer Gewinnspanne gilt das?
5. Was für einen Geschäftspartner sollte man haben? *Er sollte stabil + zuverlässig*
6. Was ist für eine Firma wie Hast von wesentlicher Bedeutung? *sein*
7. Wonach fragt Herr Lüdecke dann? *Er fragt, ob eine 5%ige Preissenkung in Frage käme.*

Übungen

1 *Man sollte nicht außer Sicht lassen, daß . . .* (Schriftlich)
Beispiel Wir sollten nicht außer Sicht lassen, daß die Firma Pleite machen könnte.
Schreiben Sie fünf ähnliche Beispiele!

2 *Von wesentlicher Bedeutung* (Schriftlich)
Beispiel 1 Es ist von wesentlicher Bedeutung, daß die Firma genügend liquide Mittel hat.
2 Kontinuität der Lieferungen ist von wesentlicher Bedeutung.
Schreiben Sie sechs ähnliche Beispiele!

3 *Sie wollen doch nicht behaupten, daß . . .*
Beispiel Wir glauben, es ist leider unmöglich.
Antwort Aber bitte, Sie wollen doch nicht behaupten, daß es unmöglich ist.

1. Wir glauben, es ist leider unmöglich.
2. Wir vermuten dabei, *dass Ihr* unser Konkurrent wird Pleite machen.
3. Es scheint, *dass* die Firma ist knapp bei Kasse.
4. Ich glaube, Sie sollten es mit einem Verlust verkaufen.
5. Ich bin der Meinung, Sie sollten *uns von Ihnen* deswegen eine 10%ige Preissenkung anbieten.

1. *Sie geht davon aus, dass der Firma mit dem konkurrenzfähigsten Preis der Auftrag erteilt wird.*
3. *Es geht darum, möglichst viele Aufträge in möglichst kurzer Zeit zu gewinnen.*
4. *Das gilt (geht) auch, wenn die Gewinnspanne gering oder negativ ist.*
6. *Die Kontinuität der Lieferungen ist von wesentlicher Bedeutung.*

Lektion 16

Auftragsannulierung

Introduction

When demand falls, KIK receives an order cancellation from Hast. The prime objective of a salesman in this situation is to have the order reinstated. The exacting of cancellation costs is a last-resort alternative. However, companies do cancel without realising they will (or hoping they won't) be pressed for cancellation costs. Only when the extent of these costs is clarified do they tend to revert to a postponement of call-off (Abruf) of the order rather than cancellation. Roberts' negotiating position is therefore to press for cancellation charges in order to encourage Hast simply to postpone call-off rather than to cancel altogether.

Einleitung

Personen: Herr Roberts (KIK)
    Herr Lüdecke (Fa. Hast)

Die Fa. Hast hat vor einer Woche einen Auftrag bei KIK annuliert. Da diese wegen des Auftrags bereits investiert hat, versucht Herr Roberts in der vorliegenden Verhandlung, Annulierungskosten von der Fa. Hast zu bekommen, oder aber den Auftrag wieder in Kraft treten zu lassen.

Development

1 One of the elements in the cancellation charge is the work in progress, i.e. semi-completed components. Herr Lüdecke feels that, since he gave advance notice of cancellation, there should not yet be any WIP. Roberts responds that, to ensure prompt delivery, they must plan a long lead-in and production schedule.

3 The same point is made and countered in relation to the raw materials provision.

4 Roberts does not want too long a postponement of call-off, so makes the point that his product has a limited shelf life (part of the order will be

near completion and ready for despatch), and that his company would
want to claim the interest on the money tied up in the finished – unsold –
goods.

Entwicklung des Dialogs

Lüdecke	Roberts
1	Aufrechnung der Annulierungs-kosten.
Doch keine Arbeit im Gange!	
	Um Lieferfrist einzuhalten, müs-sen lange Fertigungszeiten einpla-nen.
2 Anderswo verkaufen?	
	Sie – einziger Kunde.
3 Rohmaterial – keine Verantwor-tung.	
	Lange Lieferfrist – anders geht es nicht.
4 Abnahme verschieben?	
	Ja, aber bedenken: Lagerzeit, Zin-sen.
5 Kompromiß: Arbeit im Gange in vier Monaten abnehmen.	
	Ja.
6	Rohmaterial anderswo einsetzen. Wenn nicht, können noch einig werden.
7 Hoffe, Marktlage bessert sich.	

Vokabeln

die Annulierungsfrist	*cancellation period*
die Arbeit im Gange	*work in progress*
die Auftragsbestätigung	*confirmation of order*
sich bessern	*to improve*
bestätigen	*to confirm*
betragen	*to amount to*
derart(ig) (solch)	*such*
einkalkulieren	*to include (in the price)*
entgegenkommen	*to meet half way, accommodate*
in einer Höhe von	*at a rate of*
glatt gehen	*to go smoothly*
die Kompromißlösung	*a compromise solution*
die Lagerzeit	*shelf life*
die Lieferfrist	*delivery time*
die Lieferverzögerung	*delay in delivery*
die Marktlage	*market situation*

sich verpflichten — to undertake to
verzinsen — to pay interest on
eine Bestellung widerrufen — to cancel an order

Redewendungen
nicht geradezu erfreut sein — *to be not exactly delighted (iron.)*
es bleibt uns nichts anders übrig — *there is nothing for it but to*
wie wäre es, wenn . . . — *how would it be if . . .*
das ist durchaus möglich — *that is completely possible*
vor allen Dingen — *absolutely*
wie sieht es mit . . . aus? — *how is the situation on . . .?*
das steht nicht fest — *that has not been decided*
sich über eine S. einigen — *to agree on a matter*

Dialog: Schlüsselwörter

ROBERTS Wir – Fernschreiben – Annulierung erhalten. – uns überrascht.

LÜDECKE – Uns – erfreut – . – widerrufen ungern –

ROBERTS Wie – mitteilten – haben – Annulierungskosten errechnet – . Bestellbetrag £8 000, Rohmaterial £1 500, Arbeit im Gange £1 000. Gesamtkosten betragen –

LÜDECKE – Moment. – keine Arbeit im Gange sein! –

ROBERTS – bestehen – mit Recht – Eingang. – Lieferzeit – Auftragsbestätigung. – vermeiden – lange Fertigungszeit –

LÜDECKE – Können – loswerden?

ROBERTS Zur Zeit – einziger Kunde – Produkt.

LÜDECKE Und die Rohmaterialien – verpflichten.

ROBERTS – Lieferzeiten – so lang – uns nichts übrigbleibt, als – langfristig – verpflichten.

LÜDECKE – verschieben?

ROBERTS – durchaus möglich. Folgendes – beachten: Lagerzeit – müßten Sie investierte Kapital in einer Höhe von – ab – Liefertermin verzinsen.

LÜDECKE – hart – . – abzunehmen.

ROBERTS Das müßte – . Und wie sieht – Material – ?

LÜDECKE Leider – Möglichkeit

ROBERTS – Möglichkeit – darin, daß – anderswo einsetzen. Das steht – fest.

LÜDECKE Wenn ja – glatt gehen.

ROBERTS Wenn nicht, können – Kompromißlösung einigen. Das scheint – da sie entgegengekommen –

LÜDECKE In Ordnung – bessern wird.

ROBERTS Ich auch. – bestätige – Rückkehr.

⟦▣⟧ Dialog

ROBERTS Wir haben Ihr Fernschreiben über diese Annulierung erhalten. Das hat uns überrascht.

LÜDECKE Uns hat es auch nicht geradezu erfreut, Herr Roberts. Wir widerrufen sehr ungern unsere Bestellungen.

ROBERTS Wie wir Ihnen in der Zwischenzeit mitteilten, haben wir die Annulierungskosten errechnet, und zwar wie folgt: der Bestellbetrag beläuft sich auf £8 000: das Rohmaterial auf £1 500 und die Arbeit im Gange auf £1 000. Die Gesamtkosten betragen also £2 500.

LÜDECKE Einen Moment, Herr Roberts. Die erste Lieferung sollte erst in drei Monaten bei uns eingehen. Es kann doch noch keine Arbeit im Gange sein!

ROBERTS Sie bestehen – mit Recht – auf rechtzeitigem Eingang der Waren bei Ihnen. Eine sechsmonatige Lieferzeit steht in der Auftragsbestätigung. Um Lieferverzögerungen zu vermeiden, müssen wir eine lange Fertigungszeit einplanen.

LÜDECKE Hmm. Können Sie diese halbfertigen Produkte nicht anderswo loswerden?

ROBERTS Zur Zeit sind Sie unser einziger Kunde für dieses Produkt, Herr Lüdecke.

LÜDECKE Und die Rohmaterialien: ich sehe nicht ein, daß Sie sich so weit im voraus dafür verpflichten.

ROBERTS Die Lieferzeiten der Rohstoffe sind zur Zeit so lang, daß uns nichts anderes übrigbleibt, als uns so langfristig dafür zu verpflichten.

LÜDECKE Ich bin erstaunt. Wie wäre es, wenn wir die Abnahme der Arbeit, die schon im Gange ist, einfach verschieben?

ROBERTS Das ist durchaus möglich. Folgendes müssen Sie aber vor allen Dingen beachten: die Lagerzeit des Produktes beträgt etwa achtzehn Monate . . . Zweitens, müßten Sie das investierte Kapital in einer Höhe von 15% pro Jahr ab dem schon vereinbarten Liefertermin verzinsen.

LÜDECKE Das ist hart. Wir kennen uns, Herr Roberts. Ich mache Ihnen diesen Vorschlag: wir verpflichten uns, die schon verarbeiteten Waren innerhalb von vier Monaten abzunehmen.

ROBERTS Ja, das müßte gehen. Da haben Sie die Mengen, die hier zur Debatte stehen. Und wie sieht es mit dem beigestellten Material aus?

LÜDECKE Leider sehe ich hier keine Möglichkeit.

ROBERTS Eine Möglichkeit besteht vielleicht darin, daß wir das Material anderswo einsetzen. Das steht aber bei weitem noch nicht fest.

LÜDECKE Wenn ja, dann müßte alles glatt gehen.

ROBERTS Und wenn nicht, können wir uns über eine Kompromißlösung einigen. Das scheint mir fair zu sein, da Sie uns schon mit der Arbeit, die schon im Gange ist, entgegengekommen sind.

LÜDECKE In Ordnung. Ich hoffe, daß die Marktlage sich in der Zwischenzeit bessern wird.

ROBERTS Ich auch, Herr Lüdecke. Also, ich bestätige unser Gespräch schriftlich nach meiner Rückkehr.

[C] **Fragen zum Dialog**

    1. Was macht Herr Lüdecke sehr ungern?

    2. Auf welche Summe beläuft sich der Bestellbetrag?

    3. Wie hoch sind die Gesamtkosten, die KIK aufgewandt hat?

    4. Worauf besteht die Fa. Hast?

    5. Was sieht Herr Lüdecke nicht ein?

    6. Was möchte Herr Lüdecke verschieben?

    7. In welcher Höhe müßte die Fa. Hast das investierte Kapital verzinsen?

    8. Wann will Herr Lüdecke die schon verarbeiteten Waren abnehmen?

    9. Sieht Herr Lüdecke eine Möglichkeit für die Verwendung des übrigen Materials?

    10. Worüber könnten sich die Herren eventuell noch einigen?

    11. Was will Herr Roberts nach seiner Rückkehr machen?

[D] **Übungen**

1 *Wie sieht es mit . . . aus?*

    Beispiel   Was war noch . . . der Betrag?

    Antwort   Ja, wie sieht es mit dem Betrag aus?

    1. Was war noch . . . der Betrag?

    2. Worum geht es eigentlich, die Annulierungsfrist?

    3. Was müssen wir noch besprechen, den Zinssatz?

    4. Ich glaube, Sie wollten mich wegen der Arbeit im Gange fragen?

    5. Was war noch zu überprüfen . . . die Anwendungsmöglichkeiten?

    6. Was müssen wir noch klären, die Lagerzeit?

2 *Es bleibt uns nichts anderes übrig, als . . .*

    Beispiel   Sie wollen also den Auftrag annulieren?

    Antwort   Es bleibt uns nichts anderes übrig, als den Auftrag zu annulieren.

    1. Sie wollen also den Auftrag annulieren?

    2. Sie wollen also die Fertigung dieses Produktes einstellen?

    3. Sie wollen also diesen Anstrichstoff nicht mehr liefern?

    4. Sie wollen uns mit diesen Kosten belasten? Das ist ja unerhört!

    5. Sie wollen also die Abnahme der Bestellung verschieben?

    6. Sie wollen unbedingt den Preis erhöhen? Das hört sich fast wie Erpressung an!

Lektion 17

Fertigung im Hause

Introduction

It is perhaps one of the most difficult tasks of a salesman to sell a product
to a company which is already producing that product itself. Nevertheless the situation occurs in one form or another more often than one
would imagine, for example, the salesman may be approaching a parent
company, one of whose subsidiaries makes the product.

Einleitung

Personen: Roberts (Vertreter, KIK Chemicals (UK) Ltd.)
              Lüdecke (Einkaufsleiter, Fa. Hast AG, Kassel, BRD)
Herr Roberts besucht die Fa. Hast, um mit Herrn Lüdecke ein
Preisangebot zu diskutieren. Dieses Angebot wurde vor einer Woche
von KIK an die Fa. Hast geschickt. Das Vorprodukt, das hier zur
Sprache steht, wird aber zur Zeit von der Fa. Hast selbst hergestellt, und
darauf weiter verarbeitet. Herr Lüdecke ist insofern daran interessiert,
es von auswärts zu beziehen, weil dadurch sein eigener Bereich als
Einkaufsleiter dementsprechend größer wird.

Development

Herr Lüdecke's points are as follows. If the product is bought out (*von
auswärts bezogen*), men may have to be laid off (*stillgelegt*) or at least
change their place of work (*Arbeitsplatz*). Much capital has been
invested – equipment (*Anlagen*), tooling (*Werkzeuge*), manpower
(*Arbeitskräfte*) in setting up (*aufstellen*) production. This would be
wasted if the product were now bought out. In-house manufacture
(*Fertigung im Hause*) means flexibility of call-off (*Abruf*), that is, if
demand in one plant suddenly increases, it is easier to step up production in another part of the same company than to ask an outside
supplier. (*Zulieferant*) to step up his supplies. Mr Roberts counters on
the first point that men could profitably be engaged (*eingesetzt*) on other
work since his own company, being specialists, could probably produce

the material more cheaply than his potential customers. On the second point Mr Roberts stresses the importance of his own company's flexibility (*Flexibilität*) – very important when a buyer is so far away. Mr Roberts must make it as easy for Herr Lüdecke to trade with his company as it would be to trade with a German manufacturer – hence the comments on the *Inlandmarkt* etc. Mr Roberts then says that the set-up costs (*Aufstellungskosten*) that would be required by KIK Chemicals could be amortised. In this country, set-up costs which are amortised are *not* paid by the customer but the cost is added to the price of the product over so many deliveries for example. German practice makes for the payment by the customer of these costs (tooling, capital equipment) in an initial lump sum payment (*Pauschalsumme*), which is then paid back (*rückvergütet*) to the customer at, say 5% per delivery. In this way, the supplier either is assured of a long run or retains the set-up cost.

Entwicklung des Dialogs

Lüdecke	*Roberts*
	Preisvorschlag?
1 Fertigung im Hause: nicht gern von auswärts –	
2 Arbeitstechnische Probleme.	
	Arbeitskräfte anderswo einsetzen.
3 Hohne Investition.	
	Aufstellungskosten werden amortisiert.
4 Flexibilität.	
	Sind so flexibel wie die deutsche Konkurrenz.

Vokabeln

die Abnahmemenge	*take-off quantity*
amortisieren	*to amortise*
die Arbeitskräfte	*labour force*
arbeitstechnisch	*labour (adj.)*
die Aufstellungskosten	*set-up costs*
aufwenden	*to invest, spend*
auswärts	*(here) outside*
bedenkenswert	*worth considering, noteworthy*
bestrebt sein	*to endeavour*
beziehen	*to buy, obtain*
der Disponent	*production / materials controller*
der Interessent	*potential customer*
jemandem recht geben	*to agree with s.o.*
der Preisvorschlag	*suggested price*
der Rabatt	*discount*

rentabel	*economic*
rückerstatten	*to reimburse*
die Stellungnahme	*attitude, reaction (to)*
unverbindlich	*not binding, unofficial*
mit jemandem in Verbindung treten	*to get in touch with s.o.*
vereinheitlichen	*to standardise*

Redewendungen

in dieser Hinsicht	*in this respect*
was . . . angeht	*as far as . . . is concerned*
wir sind bestrebt . . .	*we endeavour*
rückerstattet bekommen	*to have reimbursed*

Dialog: Schlüsselwörter

LÜDECKE   – Tag. – Reise diesmal?

ROBERTS   – interessant. – interessieren – Stellungnahme – Preisvorschlag –

LÜDECKE   Wie – im Hause herstellen. – Probleme – auswärts zu beziehen.

ROBERTS   – arbeitstechnische Probleme?

LÜDECKE   – Aufstellungskosten aufgewandt. – zweimal zahlen. – eigenen Fertigung – flexibel. – Disponenten – Rolle.

ROBERTS   – was – angeht – folgendes bedenkenswert. – Arbeitskräfte – anderen Projekten eingesetzt – rentabeler – spezialisieren – . – Produkt billiger.

LÜDECKE   – optimistisch. – recht geben.

ROBERTS   – bestrebt, flexibel – . In allen Hinsichten betrachten – Inlandmarkt. – ebensogut – noch besser – wie – Konkurrent.

LÜDECKE   – progressive Einstellung.

ROBERTS   – Aufstellungskosten – gewiße Abnahmemenge amortisieren. – bezahlen. – bekommen – durch Rabatt rückerstattet.

🎧 Dialog

LÜDECKE   Guten Tag, Herr Roberts. Wie war Ihre Reise diesmal?

ROBERTS   Sehr interessant, Herr Lüdecke, danke schön. Es würde mich sehr interessieren, Ihre Stellungnahme zu unserem unverbindlichen Preisvorschlag zu hören.

LÜDECKE   Ja, also, wie Sie wissen, stellen wir dieses Produkt zur Zeit im Hause her. Es würde außerdem viele Probleme mit sich bringen, es von auswärts zu beziehen. Ich bin überrascht, daß Sie sich darüber ausgerechnet mit uns in Verbindung setzten. Normalerweise wären wir nämlich kein Interessent für Sie.

ROBERTS   Sie meinen, Sie hätten dann wohl arbeitstechnische Probleme?

LÜDECKE   Ja, das schon. Dazu haben wir hohe Aufstellungskosten aufgewandt. Wir hätten dann diese Kosten zweimal zu zahlen. Und wir sind in der eigenen Fertigung natürlich sehr flexibel. Das spielt bei meinem Disponenten eine wichtige Rolle.

ROBERTS   Erstens, was die arbeitstechnischen Probleme angeht, scheint mir folgendes bedenkenswert. Diese Arbeitskräfte können bei anderen Projekten eingesetzt werden. Das wäre vielleicht rentabler, denn wir spezialisieren uns auf dieses Gebiet, und haben unser Fertigungsprogramm vereinheitlicht. Das Produkt kommt deshalb vielleicht billiger.

LÜDECKE   Sie sind vielleicht sehr optimistisch, Herr Roberts. Ich muß Ihnen aber gewissermaßen recht geben.

ROBERTS   Zweitens sind wir bestrebt, flexibel zu sein. In jeder Hinsicht betrachten wir den deutschen Absatzmarkt als einen Inlandmarkt. Das heißt, wir können einen ebensoguten – wenn nicht einen noch besseren – Dienst leisten wie jeder andere Konkurrent.

LÜDECKE   Das ist natürlich eine sehr progressive Einstellung.

ROBERTS   Drittens: die Aufstellungskosten könnten wir eventuell über eine gewiße Abnahmemenge amortisieren. Das heißt, Sie bezahlen zuerst diese Kosten: Sie bekommen sie dann mit jeder Lieferung durch Rabatt rückerstattet. So machen Sie das hier in Deutschland, nicht wahr?

Fragen zum Dialog

1. Was für einen Preisvorschlag hat KIK gemacht?
2. Es wäre leicht, das Produkt von auswärts zu beziehen, nicht wahr?
3. Was hat die Fa. Hast aufgewandt?
4. Bei wem spielt Flexibilität eine wichtige Rolle?
5. Warum kommt das Produkt bei KIK vielleicht billiger?
6. Als was betrachtet KIK den deutschen Absatzmarkt?
7. Wie bekommt der Kunde die amortisierten Aufstellungskosten zurück?

Übung

Was . . . angeht (Schriftlich)
Beispiel   Arbeitskräfte anderswo einsetzen.
Antwort   Was die Arbeitskräfte angeht, können wir sie anderswo einsetzen.
Bitte schreiben Sie mit Hilfe der Stichwörter fünf ähnliche Sätze!
1. Preis – der Beste – anbieten können.
2. Prognose – mit zehn Tonnen/Jahr rechnen.
3. Aufstellungskosten – bereit – amortisieren.
4. Qualität – halten für – die Beste.
5. Kurze Lieferfrist – Überstunden machen.

Lektion 18

Fertigung im Hause (*Fortsetzung*)

Introduction

The discussion having centred on the strategic difficulties of Hast's buying in KIK's product instead of manufacturing its equivalent themselves, it now comes round to price.

Roberts suggests Hast might be adopting an unrealistic marginal costing policy for its in-house manufacture, in other words, not allocating overheads to each process involved. Or they may be allocating overheads to the final process in the manufacture of the finished product. In either case, they will be comparing KIK's price with an artificially low one.

Roberts goes on to ensure that Lüdecke is aware of all the conditions attached to the quotation – i.e. that the price is fully inclusive.

The final point for discussion is the currency in which payment will be made. This will always depend on the relative strengths of the two currencies and the anticipated movement of each. Roberts therefore here wishes to invoice in DM. Careful to avoid suggesting that his firm will, in effect, be speculating, he states why DM-invoicing is easier for his German customers, and suggests why such a policy should not run counter to the (alleged) policy of Hast i.e. of being invoiced in the foreign supplier's currency.

Einleitung

Die Verhandlung geht weiter. Hier befaßt sich Herr Roberts mit dem Problem, ob die Fa. Hast die Fertigungskosten auf eine realistische Weise den verschiedenen Herstellungsverfahren zugeschrieben hat. Daraufhin erweitert sich das Thema auf Zahlungsbedingungen im allgemeinen.

Development

1 With in-house manufacture, attributing costs to the various processes is a theoretical exercise. If there are two main stages of production, the

internal accounting might load much of the costs on to stage 2, making stage 1 look very cheap. If Mr Roberts now wants to sell his product to the company processed up to stage 1, his offer will be compared with an unrealistically low in-house cost. Mr Roberts therefore makes sure that all overheads (*Deckungskosten*) and indirect costs (*indirekte Kosten*) have been taken into account in the customer's own internal calculations.

He also checks that Herr Lüdecke is aware he is offering a delivered price (*gelieferter Preis*), that is to say all duty etc. and transport costs paid (*frei Haus verzollt*).

2 Mr Roberts wants the price to be fixed in DM when the £ is weak, so that his company will gain from any devaluation in the £. Herr Lüdecke, for precisely the same reason, wants the price fixed in £. Here Mr Roberts reinforces his argument by pointing out that the invoice (*Rechnung*) will be issued (*ausgestellt*) actually in Germany, either by a sales office (*Vertrieb*) or an agency (*Agentur*). Since payment will be made entirely within Germany there are no grounds for its being in £.

At first glance, Mr Roberts has a very difficult task, but one important fact makes it easier. If Herr Lüdecke's company agrees to buy out, his own sphere of influence as the buyer will increase. Other things being equal, it is in his own interests to promote Mr Roberts' case within his own company.

Entwicklung des Dialogs

Lüdecke	*Roberts*
1 Preis zu hoch.	
	i Deckungskosten einkalkuliert?
	ii Vielleicht alle Kosten dem Endverfahren zugeschrieben?
	iii Gelieferter Preis – frei Haus verzollt.
2 In Ordnung. In £ zahlen.	
	i Nicht üblich. DM – leichter in der Buchhandlung.
	ii über Agentur in Deutschland berechnet.

Vokabeln

berechnen	*to invoice*
darauf hereinfallen	*to fall into a trap*
die Deckungskosten	*overhead costs*
die Einfuhrausgleichsteuer	*import equalisation tax*
entgegenkommen	*to accommodate, meet half way*
indirekte Kosten	*indirect costs*
sich über eine S. im Klaren sein	*to be fully aware of sth.*
die Landeswährung	*the currency of the country concerned*

eine Rechnung ausstellen	to issue an invoice
Wert legen auf	to set store by, consider important
das Verfahren	process
sich verstehen	(of price) to be on the basis of, comprise
Vorschrift	the rule, directive
die Zahlungsbedingung	terms of payment

Redewendungen

auf eine S. zurückzuführen sein	to be due to sth.
darauf ankommen, wie/ob/usw.	to depend on how / whether / etc.
dafür sorgen, daß ...	to ensure that, see to it that ...
mit einer S. einverstanden sein	to agree to sth.

Dialog: Schlüsselwörter

LÜDECKE – Preise – hoch.

ROBERTS – vielleicht auf Ihre Kalkulationen – . – sicher – Deckungskosten – . und Kosten jedes Verfahrens – realistisch – ? Ich meine – leicht – indirekte Kosten – Endverfahren – realistisch nicht.

LÜDECKE Darauf – hereingefallen. – verstehe – sagen.

ROBERTS Folgendes – bedenken. – sicher, zwei Preise – ? – frei Haus verzollt. – keine Einfuhrausgleichsteuer – nachdem – EG –

LÜDECKE – überlegen. – Wert auf – Zahlungsbedingungen – sich im Klaren sein – £ bezahlen –

ROBERTS – üblich – Rechnungen in DM auszustellen, damit – in der Buchhaltung

LÜDECKE – Vorschrift – Landeswährung –

ROBERTS Sie – Klaren – über – Vertretung – abgerechnet – ? – praktisch – deutsche Firma. Wenn es darauf ankommt, wo – ausgestellt – erledigt. – können dafür sorgen, – flexibel – konkurrenzfähig wie –

LÜDECKE – einverstanden.

ROBERTS – freut mich – entgegenkommen –

LÜDECKE Geschäft – Schnaps –

ROBERTS Lohnt es sich, –

LÜDECKE – selbstverständlich –

ⒷDialog

LÜDECKE ... Das bringt uns natürlich auf die Preise zurück. Sie liegen trotzdem viel zu hoch.

ROBERTS Das ist vielleicht auf Ihre Kalkulation zurückzuführen. Sind Sie ganz sicher, daß Sie alle Deckungskosten einkalkuliert haben? Und haben Sie die Kosten jedes Verfahrens realistisch kalkuliert? Ich meine, es ist sehr leicht, alle indirekten Kosten im Endverfahren einzukalkulieren. Aber realistisch ist das nicht.

LÜDECKE Darauf sind wir natürlich nicht hereingefallen. Aber ich verstehe das, was Sie sagen.

ROBERTS Folgendes müssen Sie auch noch bedenken. Sind Sie sicher, daß Sie zwei entsprechende Preise miteinander vergleichen? Unser Preis versteht sich frei Haus verzollt, einschließlich allem. Es ist auch keine Einfuhrausgleichsteuer zu zahlen, nachdem wir in die EG eingetreten sind.

LÜDECKE Das muß ich mir noch überlegen. Unsere Firma legt auch viel Wert auf günstige Zahlungsbedingungen, Sie müssen sich darüber im Klaren sein, daß wir – wenn es so weit kommt – Sie in £ sterling bezahlen werden.

ROBERTS Hmm – es ist üblich, unseren deutschen Kunden Rechnungen in DM auszustellen, damit es für deren Buchhaltung leichter ist.

LÜDECKE Hmm, es ist bei uns leider Vorschrift, daß wir unsere ausländischen Lieferanten in der Landeswährung bezahlen.

ROBERTS Sie sind sich doch darüber im Klaren, daß alles über unsere Vertretung in Frankfurt abgerechnet wird? Sie bekommen Ihre Rechnung praktisch von einer deutschen Firma. Wenn es darauf ankommt, wo die Rechnung ausgestellt wird, so ist dieser Punkt erledigt. Auf diese Weise können wir dafür sorgen, daß wir so flexibel und konkurrenzfähig sind, wie die deutsche Konkurrenz.

LÜDECKE In diesem Fall bin ich mit Ihrem Vorschlag einverstanden.

ROBERTS Gut. Es freut mich, daß wir uns in dieser Sache entgegenkommen konnten.

LÜDECKE Geschäft ist Geschäft und Schnaps ist Schnaps. Ich glaube, es ist Zeit, daß wir essen gehen.

ROBERTS Lohnt es sich, zuvor einen Whiskey zu trinken?

LÜDECKE Aber selbstverständlich! Gehen wir dann!

⒝ Fragen zum Dialog

1. Was ist vielleicht auf die Kalkulation der Fa. Hast zurückzuführen?
2. Was sollte Herr Lüdecke auch noch bedenken?
3. Der angebotene Preis von KIK versteht sich frei Hafen, nicht wahr?
4. Worauf legt die Fa. Hast viel Wert?
5. Warum ist es bei KIK üblich, Rechnungen für deutsche Kunden in DM auszustellen?
6. Werden die Waren der Fa. Hast direkt berechnet?
7. Warum werden sie über die Vertretung in Deutschland berechnet?

⒝ Übungen

1 *Es kommt darauf an . . .*
   Beispiel Was fragen Sie? Wie streng die Lieferbedingungen sind? Ist das von Bedeutung?
   Antwort Doch, es kommt tatsächlich darauf an, wie streng die Lieferbedingungen sind.
   1. Was fragen Sie? Wie streng die Lieferbedingungen sind? Ist das von Bedeutung?

2. Was möchten Sie wissen? Ob wir 2% Skonto geben? Ist das von Bedeutung?

3. Bitte? Wann die Sendung ankommt? Ist das wirklich ein entscheidender Faktor?

4. Bitte? Ob wir Sie in £ oder in DM berechnen? Spielt das eine Rolle?

5. Was fragen Sie? Wie der Wechselkurs steht? Das spielt keine Rolle.

6. Ob wir die Liefertermine einhalten können? Legen Sie Wert darauf?

2 *Dafür sorgen, daß ...*
Beispiel Sind Sie sicher, daß die Lieferung rechtzeitig bei uns eintreffen wird?
Antwort Selbstverständlich. Wir werden dafür sorgen, daß die Lieferung rechtzeitig bei Ihnen eintrifft.

1. Sind Sie sicher, daß die Lieferung rechtzeitig bei uns eintreffen wird?

2. Können Sie sich dafür verbürgen, daß unsere technischen Forderungen genau beachtet werden?

3. Sie können mir aber versichern, daß die Rechnung in £ ausgestellt wird?

4. Sind Sie sicher, daß ich vom Flughafen abgeholt werde?

3 *Mit einer Sache einverstanden sein*
Beispiel Soll diese Lösung akzeptiert werden?
Antwort Wir sind damit einverstanden, daß diese Lösung akzeptiert wird.

1. Soll dieser Vorschlag akzeptiert werden?

2. Sollen diese Ziffern gelten?

3. Soll diese Bedingung weiterhin gelten?

4. Soll der Preis herabgesetzt werden?

5. Sollen wir denn den Plan durchführen?

Fragen zur Entwicklung

These questions are placed at the end of the book, separately from the units, because they are intended for use by the teacher, to elicit language from the student in the course of the exploitation of the *Entwicklung des Dialogs*.

1 Erster Besuch

1. Was verstehen Sie unter *Produkt wird erörtert*? (Vorführung, technische Eigenschaften, Anwendungsmöglichkeiten)
2. Teuere Produkte von hoher Qualität sind oft preiswerter als billige Produkte von niedriger Qualität. Erklären Sie das, bitte.
3. Auf welche Probleme stößt der Einkäufer, der seine Waren vom Ausland beziehen will? (Spedition, Planung der Lieferzeiten, Wechselkurs, außergewöhnliche Zahlungsbedingungen)
4. Inwiefern sind solche Probleme bezüglich britischer Waren durch den Beitritt Großbritanniens in die EG erleichtert worden?
5. Was halten Sie von den Beziehungen zwischen Arbeitnehmer und Arbeitgeber in Großbritannien?
6. Glauben Sie, solche Probleme werden von der britischen Presse hochgespielt?

2 Erster Besuch (*Fortsetzung*)

1. Inwiefern ist eine Firma, die telefonisch erreichbar ist, flexibler als eine, deren telefonische Verbindungen schlecht sind?
2. Inwiefern ist ein Agent flexibler als der Lieferant, den er vertritt?
3. Macht Herr Roberts regelmäßig Besuche in Deutschland?
4. Beschreiben Sie die Stufen in der Planung einer Geschäftsreise.
   (festlegen, welche Firmen man besuchen will
   eine Reiseroute planen
   Termine festlegen
   diese Termine mit den Kunden und Interessenten vereinbaren
   die anstehenden Fragen zusammenfassen, die zur Diskussion stehen
   Unterlagen und Muster zusammenstellen
   Flugplätze, Mietwagen usw. reservieren)
5. Sich auf Export einstellen – was heißt das?

3 Besuch ohne Verabredung

1. Mit wem möchte Herr Roberts sprechen?
2. Was verstehen Sie unter *zuständig*?
3. Wie heißt der Einkäufer für Kunststoff?
4. Kennt er die Firma KIK schon?
5. Möchte Herr Roberts Herrn Renner persönlich besuchen? Warum?
6. Was verstehen Sie unter *vorführen*?
7. Was spricht zuerst gegen einen persönlichen Besuch?
8. Wird Herr Roberts bald wieder vorbeikommen können? Warum nicht?
9. Genügt dieses Argument, um Herrn Renner zu einer Verabredung zu überreden?
10. Für wann ist der Termin festgesetzt?
11. Glauben Sie, daß Herr Roberts diesen Besuch gut vorbereitet hat?

4 Besuch ohne Verabredung *(Fortsetzung)*

1. Hat die Fa. Hast kürzlich auf einer Messe ausgestellt?
2. Welche Messe mag das wohl gewesen sein?
3. Warum hat Herr Roberts Herrn Renner auf dieser Messe nicht besucht? (Zeit gefehlt)
4. Was verstehen Sie unter *nicht fertiggestellt*? (nicht vorbereitet)
5. Skonto heißt Rabatt. Was heißt prompte Bezahlung?
6. Geben Sie ein Beispiel von Sonderanfertigung. (Möbel, Segelboote)
7. Warum will die Fa. Hast wohl in £ bezahlen? (mögliche Abwertung des Pfunds)
8. Ist Herr Renner hundertprozentig für KIK?
9. Was schlägt Herr Roberts noch vor? (Besuch beim Vertrieb, auf der Messe)

5 Festlegung des Preises

1. Hat der deutsche Konkurrent von KIK einen guten Ruf?
2. Wie lautet Herr Roberts zweite Frage?
3. Will Herr Lüdecke den Konkurrenzpreis verraten?
4. Wäre KIKs Preis akzeptabel, wenn auf Werkzeugskosten verzichtet würde? (Es würde schon etwas besser aussehen.)
5. Warum ist KIK durch hohe Transportkosten benachteiligt? (Waren müssen weiter befördert werden.)
6. Um wieviel Prozent liegt der von KIK angebotene Preis über dem, den Herr Lüdecke akzeptieren würde?
7. Welchen Bedingungen unterliegt das Preisangebot von KIK?
8. Wird der von KIK angebotene Preis für höhere Mengen gleich sein wieder, der für kleinere gilt? Warum nicht? (Er wird wegen Vorteile der Massenproduktion niedriger sein.)

7 Besuch bei dem Lieferanten

1. Erklären Sie, inwiefern sich Herr Lüdecke gegenüber Herrn Roberts verpflichten würde, wenn er die Einladung akzeptierte.
2. An wen wendet sich Herr Roberts dann?
3. Aus welchem Grund macht er das?
4. Woran läßt sich feststellen, daß Herr Roberts viel Wert auf Protokoll legt?

8 Agenten: Probleme

1. Was verstehen Sie unter *Provision*?
2. Bekommt Herr Wulf eine Provision nur für die Aufträge die er selbst für KIK erwirbt?
3. Wie oft wird abgerechnet?
4. Was sind Spesen?
5. Werden die Rechnungen über Herrn Wulf an die Kunden geschickt werden?
6. Was für Maßnahmen zum Berechnen kann man sonst noch treffen?
7. Hält Herr Wulf es für nötig, daß Herr Roberts ihn so oft wie möglich zu den Kunden begleitet? Warum nicht?

10 Kredit in der DDR

1. Erklären Sie, was die Anspielung auf Liquidität (Punkt 2) bedeutet. (Verfügbare Mittel / vorhandenes Bargeld ist Herrn Roberts Firma lieber als Kredit.)
2. Halten Sie es für wahr, daß viele andere Zulieferanten von VEB Anstrichstoff ihr Kredit gewähren?

11 Gegenschäft

1. Warum ist Herr Roberts überrascht? (Herr Dr Erhardt will ihm etwas verkaufen.)
2. Erklären Sie das Wort *gegenseitig*.
3. Erklären Sie Herrn Roberts Behauptung in Punkt 4.
4. Auf welches Amt bezieht sich Herr Dr Erhardt in Punkt 5. Wie funktioniert dieser Dienst?
5. Warum werden die Kunden trotzdem wissen, daß KIK den Import der DDR-Waren varanlaßt hat?
6. Was schlägt Herr Roberts als Kompromißlösung vor?

12 Messen und Ausstellungen

1. Was für Ausgaben macht eine Firma, die auf einer Messe ausstellen will? (Stand, Möbel, Telefon, Blumen, Werbung, Erfrischungen, Transport der ausgestellten Waren usw.)
2. Was sollte man besonders beachten, wenn man einen Vortrag über

seine eigenen Produkte hält? (keine technischen Geheimnisse verraten)

3. Warum ist es nützlich, Gäste bei einem Büffet kennenzulernen? (entspannte Ambianz : es ist leichter, dort Verbindungen anzuknüpfen)
4. Vergleichen Sie den Preis einer solchen Vorführung der Produkte mit dem einer normalen Messe. (Nimmt weniger Zeit in Anspruch, usw.)

13 Reklamation

1. Was verstehen Sie unter *Toleranzen*?
2. War die ganze Lieferung mangelhaft?
3. Warum wollte Herr Lüdecke die Rechnung kürzen?
4. Will Herr Lüdecke, daß die betreffenden Teile zurückgenommen werden?
5. Weiß Herr Lüdecke, wieviel es kosten wird, die Teile in der Vertragswerkstatt umarbeiten zu lassen?
6. Was verstehen Sie unter *Markierung*?
7. Warum will Herr Roberts, daß die Markierung entfernt wird?

14 Preiserhöhung bei einem laufenden Produkt

1. Erklären Sie das Wort *Prognose*.
2. Wie begründet Herr Roberts seine Forderung nach einer Preiserhöhung?
3. Was für Kostenelemente sind von der Inflation betroffen worden?
4. Was für ein Problem hat die Fa. Hast, die auch mit der Inflation zurechtkommen muß?
5. Will Herr Lüdecke das Risiko für steigende Rohstoffkosten übernehmen?
6. Warum sollte eine Preiserhöhung der Fa. Hast nichts ausmachen?
7. Gibt ihm Herr Lüdecke recht?
8. Wieso ist KIK bei der Abwertung des Pfundes *zweimal Verlierer*?
9. Erklären Sie den Grund, warum Herr Lüdecke Punkt 7 *Erpressung* nennt.

15 Preissenkung

1. Welcher Konkurrent wird den Auftrag erteilt bekommen? (der mit dem niedrigsten Preis)
2. Was für ein Angebot hat der Konkurrent der Fa. Hast gemacht? (ein niedriges)
3. Hatte Herr Lüdecke vorausgesehen, daß die Konkurrenz ein so niedriges Angebot machen würde? (Nein)
4. Wie würde Herr Roberts darauf reagieren, wenn er an Herrn Lüdeckes Stelle wäre? (Er wäre mißtrauisch.)

5. Warum? (Vielleicht ist die Liquidität der anderen Firma bedroht, d.h. sie hat nicht viel bares Geld und sucht dringend Aufträge.)
6. Was deutet Herr Roberts hinsichtlich der Zuverlässigkeit des Konkurrenten an? (Daß die Firma wegen Liquiditätsprobleme vielleicht nicht ganz zuverlässig ist.)
7. Glauben Sie, daß Herr Lüdecke durch dieses Argument überzeugt worden ist? (Ja. Er sucht einen Weg, um mit Herrn Roberts Firma ins Geschäft zu kommen.)

16 Auftragsannulierung

1. Was verstehen Sie unter *Annulierungskosten?*
2. Was verstehen Sie unter *Arbeit im Gange?*
3. Welche sind die bestimmenden Faktoren in der Planung der Fertigungszeit?
4. Warum ist das nötige Rohmaterial schon vorhanden?
5. Warum mahnt Herr Roberts Herrn Lüdecke an die Lagerzeit des Produktes zu denken?

17 Fertigung im Hause

1. Warum ist Herr Lüdecke nicht gerne bereit, das Produkt von auswärts zu beziehen?
2. Was verstehen Sie unter *Arbeitskräfte anderswo einsetzen?*
3. Was verstehen Sie unter *amortisieren?*
4. Erklären Sie den Ausdruck *Aufstellungskosten.*
5. Legt die Firma KIK Wert auf Flexibilität?

18 Fertigung im Hause (*Fortsetzung*)

1. Was verstehen Sie unter *Deckungskosten?*
2. Warum kann man hier keinen richtigen Preisvergleich machen, wenn Hast alle Deckungskosten dem Endverfahren zuschreibt?
3. Was verstehen Sie unter *Preis: frei Haus verzollt?*
4. Warum will Herr Lüdecke in £ bezahlen?
5. Warum will Herr Roberts in DM bezahlt werden?